どんどん話すための瞬間英作文トレーニング

反射的に言える

森沢洋介 =著

He looks very busy.
The puppy became
When do the leaves turn yellow?
I will be back in a week.
The cat was as big as a dog.

はじめに

　英語を話すことは、英語学習の主要な目的でありながら、上達が遅れてしまいがちな側面です。実際、英語を継続的に勉強していて、読む事は得意で、リスニングもかなりできるのに会話となるとからっきしという人が多いものです。

　外国語の習得には2つの面があります。文法や語彙など未知のことを覚え知識を広げていく学習的な側面と、学習で獲得した知識を、知識で終わらせず自在に使いこなせるようにするトレーニングとしての側面です。つまり「よくわかっていること」を「できること」に変えていくことです。

　英語を話すための第一歩は、頭ではよくわかっている基本文型を自由に操作できるようになることです。どんなに難解な英文を読み解けても、しゃれた表現をいかにたくさん知っていても簡単な英文が口から出てこなければ、英語を話すことはできないからです。

　英文を考え込むことなく自動的に楽々と作り出す能力、いわば「英作文回路」は発想の転換をして必要なトレーニングをしさえすれば、ある程度の基礎知識がある人ならば比較的短期間で開発することができます。これが本書で提案する、簡単な英文をスピーディーに大量に作っていく「瞬間英作文トレーニング」です。

　瞬間英作文トレーニングの第一段階では、中学レベルにターゲットを絞り文型ごとにスピーディーにたくさんの英文を作っていくことが非常に効果的です。しかし、従来の短文集、文例集の多くは表

現集の役割も担わされていることが多く、文型こそ基礎レベルであるものの、未知の単語・表現が散りばめられているため、記憶の負担が生じ、楽にたくさんの英文を作るということに集中しにくい場合が少なくありません。一方、語彙・表現のやさしさから、中学生用学習参考書にテキストを求めると、高校入試用文型集などで200〜300文程度にまとめられてしまい、今度は十分なトレーニングのためにはボリュームに欠けてしまいます。

　このように瞬間英作文トレーニングの初心者用としては、帯に短したすきに長し、という素材が多いのですが、本書の重要な役割の一つはこのような隙間を埋めることです。本書の例文中には、学校で英語を学んだ人が知らないような単語・表現は無いので、新しい語句の記憶という負担は全くかからず、文型練習に専念できます。また1文型あたり10文、合計790文とスタートとしてはまずまずのボリュームです。加えて、本書にはポーズ付きCDがついています。日本文を聞いた後ポーズの間に即座に英文を言う練習をするとさらに立体的な瞬間英作文トレーニングができます。

　本書と共に、是非、効果抜群の瞬間英作文トレーニングを始めてみてください。

もくじ

どんどん話すための瞬間英作文トレーニング

1・瞬間英作文トレーニングとは —— 9
2・瞬間英作文トレーニングの行い方 —— 18

Part 1　中学1年レベル

1. this / that —— 32
2. these / those —— 34
3. What is (are) 〜 ? —— 36
4. 人称代名詞の主格 —— 38
5. 人称代名詞の所有格 —— 40
6. Who is (are) 〜 ? —— 42
7. 一般動詞 —— 44
8. how many (much) 〜 —— 46
9. 人称代名詞の目的格 —— 48
10. 人称代名詞の独立所有格 —— 50
11. 命令文 / Let's 〜 —— 52
12. whose —— 54
13. where —— 56
14. when —— 58
15. which —— 60
16. it —— 62
17. What time 〜 ? —— 64
18. how —— 66

- ⑲ How old (tall) ～ ? —— 68
- ⑳ 疑問詞主語の who —— 70
- ㉑ can —— 72
- ㉒ 現在進行形 —— 74
- ㉓ There is (are) ～ —— 76

Part 2　中学2年レベル

- ① 過去形 —— 80
- ② 過去進行形 —— 82
- ③ when 節 —— 84
- ④ 一般動詞の SVC —— 86
- ⑤ SVO＋to (for) —— 88
- ⑥ SVOO —— 90
- ⑦ will (単純未来) —— 92
- ⑧ will (意志未来) —— 94
- ⑨ will (依頼) / shall (申し出・誘い) —— 96
- ⑩ be going to —— 98
- ⑪ must / may —— 100
- ⑫ have to —— 102
- ⑬ be able to —— 104
- ⑭ 感嘆文 —— 106
- ⑮ 不定詞─名詞的用法 —— 108
- ⑯ 不定詞─副詞的用法 (目的) —— 110
- ⑰ 不定詞─副詞的用法 (感情の原因) —— 112
- ⑱ 不定詞─形容詞的用法 —— 114

- ⑲ 動名詞 —— 116
- ⑳ 原級比較 —— 118
- ㉑ 比較級—er形 —— 120
- ㉒ 最上級—est形 —— 122
- ㉓ 比較級—more —— 124
- ㉔ 最上級—most —— 126
- ㉕ 比較級—副詞 —— 128
- ㉖ 最上級—副詞 —— 130
- ㉗ 比較級、最上級を使った疑問詞の文 —— 132
- ㉘ 現在完了—継続 —— 134
- ㉙ 現在完了—完了 —— 136
- ㉚ 現在完了—経験 —— 138
- ㉛ 現在完了進行形 —— 140
- ㉜ that節 —— 142
- ㉝ 受身—1 —— 144
- ㉞ 受身—2 —— 146

Part 3　中学3年レベル

- ① 従属節を導く接続詞—1 —— 150
- ② 従属節を導く接続詞—2 —— 152
- ③ 間接疑問文 —— 154
- ④ 疑問詞＋to不定詞 —— 156
- ⑤ 形式主語のit —— 158
- ⑥ SVO＋to不定詞 —— 160
- ⑦ SVOC —— 162

- ⑧ 現在分詞修飾 —— 164
- ⑨ 過去分詞修飾 —— 166
- ⑩ 関係代名詞・主格（人）—— 168
- ⑪ 関係代名詞・主格（人以外）—— 170
- ⑫ 関係代名詞・所有格 whose と of which —— 172
- ⑬ 関係代名詞・目的格（人）—— 174
- ⑭ 関係代名詞・目的格（人以外）—— 176
- ⑮ 先行詞を含む関係代名詞 what —— 178
- ⑯ too～to… —— 180
- ⑰ enough～to… —— 182
- ⑱ so～that… —— 184
- ⑲ 原形不定詞・知覚 —— 186
- ⑳ 原形不定詞・使役 —— 188
- ㉑ 関係副詞・where —— 190
- ㉒ 関係副詞・when —— 192

私自身の瞬間英作文回路獲得体験 —— 195

1 ● 瞬間英作文トレーニングとは

「わかっている」を「できる」にする

　この本を手にとった人は、英語を自由に話せるようになりたいという願望を持っていることでしょう。この願望を叶えるために、それなりに努力もしたかもしれません。英会話学校に通ったり、表現集で会話表現を暗記してみたり。でも、成果は満足できるものではなかったのではないでしょうか。
　英語力の他の側面がかなりのレベルにある人でも、英語を話す能力だけが遅れてしまうことが多いものです。受験勉強などで、抽象的で難解な英文を読み解く能力を身につけていても、簡単な英文さえ、反射的には口から出てこない、あるいは相手が話す英語は大体わかる聴き取り能力はあるのに、自分が話すとなるとうまくいかず、スムーズな会話が成立しないというフラストレーションは私自身が経験したことなのでよく理解できます。
　所詮、英語を話すということは、留学などで長期間、英語圏で暮らさない限り叶わないことと嘆息したくなりますが、諦めるのは早すぎます。発想を変え単純なトレーニングを行いさえすれば、日本を一歩も出なくても、英語を話せるようになります。

　それなりに英語を勉強してきたのに話すことはからきし、という行き詰まりを打破するのに極めて効果的なのが、**瞬間英作文**というトレーニングです。方法は極めて単純で、中学で習う程度の文型で簡単な英文をスピーディーに、大量に声に出して作るというものです。「馬鹿にするな。中学英語なんかもうわかっている」という声が聞こえてきそうです。それでは、ちょっとテストしてみましょう。

あなたは次のような日本語文をばね仕掛けのように即座に口頭で英語に換えられますか？

① 学生の時、私はすべての科目の中で数学が一番好きだった。
② 君はあの先生に叱られたことがある？
③ 昨日僕たちが会った女の人は彼の叔母さんです。

どうでしょうか？瞬間的に口から出すのはなかなか難しいのではないでしょうか？しかし、英語を話せる話せないを分ける分水嶺はこうしたことができるかできないかです。

英文例を挙げておきましょう。

① When I was a student, I liked mathematics (the) best of all the subjects.
② Have you ever been scolded by that teacher?
③ The woman (whom / that) we saw yesterday is his aunt.

英文を見てしまうと「なーんだ」というレベルでしょう。しかし、英文を見ればなんなく理解できるけれど、自分では口頭で即座に作れないという人は、**中学英語が「わかる」から「できる」に移行していない**のです。英語を話せる人というのは、自然な経験を通じてだろうと、意識的な訓練によってだろうと、必ずこうした基本文型の使いこなしをマスターしています。

簡単な英文を楽にたくさん作って英作文回路を作る

　そもそもなぜ多くの学習者は本来単純なこのトレーニング方法を見過ごしてしまうのでしょうか？大きな原因の一つは、英語が学校や受験の科目になっていることです。学課というものは学生の知的能力を伸ばすことが目的ですから、その成果を測るテストはあくまでも知的な理解を確かめるものだけとなりがちです。ですから、自然な言語使用では絶対条件となるスピードを身につけることはおろそかにされ、知的な理解が得られただけで次々により難しいレベルに移って行き、結果として、ネイティブ・スピーカーでも敬遠するような難解な英文を読み解けるのに、簡単な会話さえままならないという悲喜劇が生じることになります。

　英語を言葉として自由に使いこなすという目的から見た非現実さは、100メートルを1分かけて走るのに例えられます。オリンピック選手は100メートルを10秒前後で駆け抜け、小学生でも20秒以内で走ることができます。英語を難解な文法パズルと考えることから脱却して簡単な文をスピーディーに大量に作ってみてください。そうすれば、逃げ水のように捉えがたかった「英語を話せるようになる」という目標は達成されるのです。

　「英文を大量に作るなんてしんどい」という人は、まだ英語を学課としてしか見ない呪縛から解き放たれていません。瞬間英作文は、受験勉強の構文暗記や英作文とは全く違います。学課英語では、基本的な文型に習熟することなく、やたらと複雑な文を覚えようとしますから、いきおい理解・実感の伴わないゴリゴリとした暗記になってしまいます。また大学受験の英作文問題の多くは長大で抽象的な内容で、基本文型の使いこなしさえできないほとんどの受験生にとっては手の届かないレベルです。まるで、大学受験のレベルとは

かくあるべきという出題側の面子で出題されているとさえ思えるものです。受験生の大半は、整然とした英文を書くことなどできませんから、英作文問題は捨てるか、ところどころで部分点を稼ぐことで精一杯です。

　瞬間英作文で行うのは次のような英作文です。

① あれは彼のかばんです。　　　　　→ That is his bag.
② これは彼女の自転車ですか？　　　→ Is this her bicycle?
③ これは君の本ですか？　　　　　　→ Is this your book?
④ あれは彼らの家ではありません。　→ That is not their house.
⑤ これはあなたの部屋ではありませんよ。
　　　　　　　　　　　　　　　　　→ This is not your room.

　引き金となる日本語を見て英語を口にすることは暗記という感じではないでしょう。中学英語が頭に入っている人にとっては文型や語彙のレベルでまったく負荷がかからないし、同じ文法項目が連続的に扱われているからです。

　瞬間英作文トレーニングではまずこのレベルの英文を文型別に作ることを行います。肝心なことはスピード、量です。多くの学習者はわかっているとはいいながら、上に挙げたような文でも口頭で行うとなると、ばね仕掛けから程遠く、とつとつとした口調になってしまいます。トレーニングを続けて、普通に話すペースで次から次へと英文が口から飛び出してくるようにすることが必要です。

　ただ、一旦発想を変え、一定期間トレーニングを行えば、このような**英作文回路**を自分の中に敷設することは大した難事ではありません。今まで見過ごしていたかもしれない瞬間英作文トレーニングに是非取り組んでみてください。あなたの英会話力に革命が起こるに違いありません。

●ステージ進行

　瞬間英作文トレーニングは三つのステージに分けられます。各ステージで目的とする能力をしっかりつければトレーニングを効率的に進めて行くことができます。

第1ステージ

　英作文回路の基礎を作る最初のそして最も重要なステージです。このステージの目標は中学レベルの文型で正確にスピーディーに英文を作る能力を身につけることです。素材としては、文法・文型別に瞬間英作文ができるものを使います。語彙や表現に難しいものが一切入っていない、**英文を見てしまえば馬鹿らしいほど易しいもの**を使ってください。多くの人はここで色気を出して、難しい表現や気が利いた表現を散りばめた例文集を使おうとしますが、これが走り出したばかりのところで躓く大きな原因なのです。

when節を練習する例文として、「販売部長の売上報告を聞いた時、社長は即座に次の四半期の戦略を思い描いた」といった例文を使うと、「販売部長」、「売上報告」「四半期」「戦略を思い描く」などという表現を考えたり覚えたりすることでエネルギーを使い、負担がかかってしまいます。これに対し、「彼が外出した時、空は青かった」という程度の例文なら負担がほとんどないので、同じ時間でたくさんの英文を作り出すことができます。そして、英語を自由に話す能力の獲得のためには、簡単な英文をスピーディーに、一つでも多く作った人が勝ちなのです。

　高度で気の利いた表現の獲得は第3ステージで取り組む課題です。そして、第1ステージで基本文型を自由に扱える能力を身につけた人ならば、第3ステージで心置きなく、楽々と英語の表現を拡大していくことができます。

　本書はこの第1ステージ用のトレーニング教材です。

第2ステージ

　第2ステージでも対象は依然として中学レベルの文型です。しかし、このステージでは第1ステージから一歩進んで、文型別トレーニングから、応用力の養成へと移行します。第1ステージでは同じ不定詞だったら不定詞、受動態だったら受動態というように同じ文型ごとに行っていた瞬間英作文トレーニングを、ばらばらの順番で、あるいは複数の文型が結合した形で行います。第1ステージは同じ文型が並んでいますから、言わば直線コースをまっしぐらに走るようなもので、スピードをつけるのに最適です。
　第2ステージでは、文型の転換や結合が目まぐるしく起こるので、

まっすぐ走った直後にさっと曲がったり、反転したりと変化の多いコースを走るのに似て、実際に英語を話す時に必要な応用力や反射神経を磨くことができます。

　素材としては英文が文型別に並んでおらず、トランプを切るようにばらばらにシャッフルして配置されたものを使用します。ただ、市販の文型集・例文集はほとんどが文法・文型ごとに文が並んでいます。でも、心配することはありません。本来文型集・例文集として作られてはいないものの、シャッフル文例集として使えるものがたくさんあるからです。中学英語テキストのガイドや高校入試用英語長文集がそれです。これらは内容が会話や物語の体裁になっているので同じ文型が連続して並んでいることがなく、自然のシャッフル教材として使えます。瞬間英作文トレーニングではこれらを使い、日本語訳から逆に英文を再生するのです。

　特に高校入試用英語長文集は優れモノです。教科書ガイドよりはるかに英文の量が多い上、ガイドが2000円前後と値が張るのに対し非常に廉価です。次々と異なる文型が現れ、文章も長いので非常に力のつく素材です。最初はかなり歯ごたえを感じるでしょうが、文型・語彙・表現はすべて中学レベルなので、記憶力に負担がかかるものではありません。
　もちろん個人差はありますが、数冊消化してしまうと、このレベルの英文なら初見でもすらすら英文が出てくるようになります。ここに至れば第2ステージも完成です。英語を話すために必要な英作文回路があなたの中にしっかりと設置されています。

第3ステージ

　いよいよ最終段階の第3ステージです。このステージでは第2ステージまではめていた中学文型の枠をはずし、あらゆる文型・表現を習得していきます。とはいっても、中学文型の使いこなしをマスターした後では、かつては難しく感じた構文も実はさしたることはないことを実感できるでしょう。高校以降で習ういわゆる難構文も実は中学文型を結合したり、ほんの少し付け足しをしたにすぎないからです。

　また、英語の文型というのは無限にあるものではないので、文型の習得というのはほどなく終わってしまいます。これに対して、語彙・表現というのは数に限りがありません。母語の日本語でさえ、すべての表現を知り尽くすのは不可能です。

　表現の豊かさは、年齢や読書量や教養によって大きく異なります。つまり、第3ステージには終了ということがないのです。英語を使う目的や目標レベルに合わせ、どれだけ続けていくかは自己判断に委ねられます。

　第2ステージまでで英作文回路が完成していますから、新しい語彙・表現をストックしていくことは快適な作業です。対象となる表現が盛られている英文を唱えることはいともたやすいからです。多くの人は英語の勉強とは単語や表現を暗記することだと勘違いして、英作文回路がないのに単語集や表現集の類に取りかかってしまいます。第1ステージ、第2ステージを飛ばして、いきなり第3ステージから始めてしまうわけです。当然、結果は芳しくないものとなります。例文を口にしようとしても、基本的な英文を自由に操作できる体質がありませんから、ゴリゴリした辛い暗記になってしまいます。苦労していくつかの表現を覚えてもそれを差し込むべき文が素早く作れないので、せっかく覚えた表現も記憶の倉庫で埃をかぶり、

やがて蒸発してしまいます。

　本書で勧めるように、各ステージをしっかり踏んでいけば、このようなループを脱し、無理なく着実に英語を話す力を身につけることができます。第3ステージに足を踏み入れ、しばらくトレーニングを続けた時点で、英語を外国語として十分に使いこなせるようになっているでしょう。第3ステージはいわば収穫のステージと言えます。しかし、豊かな収穫を得るためには、第1ステージでしっかりと土を耕し、種を蒔いておくことが必要です。

　本書でこのもっとも重要な第1ステージのトレーニングを開始してみてください。

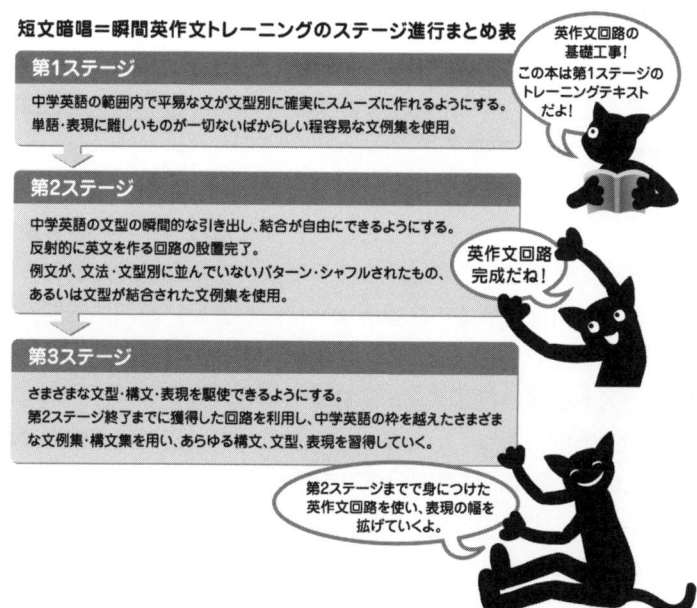

2 ● 瞬間英作文トレーニングの行い方

●サイクル回しによる各パートの完成

　練習パートは3部に分かれています。part 1 を仕上げてから part 2 に移り、part 2 を仕上げて part 3 に進むというように、必ずパートごとに完成してください。一つのパートの完成は、日本文を即座に滑らかな英文に変える瞬間英作文がパート全体を通してできるようになることが条件です。

　これは、科目としての英語で行っていた暗唱とはまったく異なるスピードです。あなたが手に入れたいのは英語を自由に話す能力ですから、今までのペーパーテスト用ののろのろゴツゴツしたペースは忘れてください。パートの全文が英語を自然に話すペースで瞬間英作文できるようにしてください。

　このようなスピード・滑らかさ目的とする場合、もっとも有効なのがサイクル法です。これは一つのテキストを一回で覚えこもうとせず、軽めに何度も漆塗りをするように繰り返し、自然に長期記憶として刷り込んでいく手法です。定期テストや受験科目としての英語ではテストが終わればすぐに忘れてしまう短期記憶や、せいぜい中期記憶でも間に合っていたかもしれませんが、自然に英語を使いこなすために必要なのは長期記憶です。

　自分や家族、友人の名前、自宅の電話番号などは長期記憶として保存されていて半永久的に忘れることがありません。これらと同じく自由に使いこなせる言語の文法・文型構造、語彙などは長期記憶されていて、車の運転やスポーツでの動きなどのように瞬間的な反応となっています。このような記憶、動きはゴリゴリとした一回限

りの意識的な暗記ではなく、際限ない繰り返しによってそれと知らぬ間に獲得されたはずです。
　このような自然な刷り込みを行うのに最適なのが、サイクル法です。

　「何度も繰り返す」という表現に抵抗を感じサイクル法を敬遠する必要はありません。「何度も」も繰り返すといっても、各サイクルにかかるストレスは一回で遮二無二覚えこもうとするゴリゴリ暗記とは比べ物にならないくらい軽いものですし、サイクル数が増すにつれどんどん速く楽になっていくからです。
　本書の瞬間英作文トレーニングでは発想の転換を行い、楽で速く効き目が半永久的ないいことずくめのサイクル法の効果を是非味わってみてください。

サイクル法でスムーズに学習

● セグメント分割

　全体の瞬間英作文を完成させるためには、テキストをいくつかの部分に分けて（セグメント分割）、セグメントごとにサイクル法で仕上げていくのが効率的です。一定時間内のサイクル数が増し、刷り込みが起こりやすくなるからです。セグメント分割の仕方は自分のやりやすいように行って結構です。本書の各パートなら、3〜5つのセグメントに分割するのが適切でしょう。

　セグメントを一つ一つ完成した後、最後にパート全体を通してサイクル回しを行います。ただ、セグメントごとの瞬間英作文が完成していれば、全体を通しての仕上げはさしたることではありません。功を焦りいきなりパート全体をサイクル回しするより、かかる時間と労力は少なくてすみます。

●トレーニングの実際の手順

　それでは、サイクル法によるトレーニングの実際の手順です。Part 2 の中学 2 年レベルを使って説明します。全体は 34 文型で構成されていますが、ここでは 11〜12 文型ずつ、三つのセグメントに分割します。

第 1 サイクル

① 日本文を見て英作文
　英作文は口頭で素早く行ってください。すぐに英文が出てこない時は、考え込まず、すぐに答えの英文を見てしまってください。数学の問題やパズルと違い長考は禁物。英文を出すまで一文あたり 10 秒前後を限度にしてください。一文をのろのろと、時間をかけて英作文するのではなく、①〜④までのステップをスピーディーに流れるように行うのが上達の秘訣です。

② 英文を見て答え合わせ
　答えの英文を見て自分の作った英文と比べて答え合わせです。英文がすぐに出てこないなら、「どんな英文になるのかな？」という問題意識を持って、構わず答えを見てしまいます。このトレーニングではカンニングは大いに奨励です。ただ、答えの英文を見た時に、「ああ、なるほど」という納得感があることが条件です。

例えば、まったく学習したことがない外国語の場合、どれほど簡単な文だろうと理解ができません。そうすると、日本文とそれに対するその外国語の文の間にある文法・語彙的な関連がわからないわけですから、たとえカタカナや発音記号を振って暗唱しても無意味です。これは理解を伴わない純粋な暗記です。瞬間英作文はすでに頭ではわかっている英語を使えるようにするトレーニングですから、答えの英文を見て合点が行かない場合は、瞬間英作文トレーニングは時期尚早で、それ以前に勉強をしなおす必要があります。

　また、簡単に英文が出てきた場合でも、答え合わせは必ず行ってください。かなり力のある人でも、とっさに口頭で英作文をすると、主語と動詞の数合わせや、時制、三単現のsなど細かい間違いを起こしやすいのです。こうした間違いを放置して強引にトレーニングを続けると間違いが取り除き難い癖になりかねません。

③ 英文を口に落ち着ける
　瞬間英文トレーニングのもっとも大切なステップですが、多くの学習者が最もおろそかにしていることでもあります。

　学課としての英語は、理解することが目的でテストなどもあくまでそれを測るものなので、ほとんどの人は②までのステップですませてしまいます。また、ペーパーテストならこの程度の学習でもなんとかなるかもしれません。しかし実用に足る英語力は決して身につきません。英語を話すことを身につけるためには、必ず英文を何回か繰り返し口に落ち着ける作業を行います。

作業は実に単純です。まず、英文を見ながら、何度か声に出して音読します。いきなり目を離して暗唱しようとすると、滑らかさの無いゴツゴツとした口調になってしまいます。必ず英文を見ながら、自然に話す口調で読み上げてください。この時、単なる音になってしまわないように文構造や意味を理解しながら音読します。

　英文が口に落ち着いたと思ったら、今度はテキストから目を離し、英文を諳（そら）んじます。その際も文構造・意味をしっかり感じ、また、実際にその英文を自分で言っているような発話実感を込めて暗唱してください。

　繰り返すと言っても、英文を見ながらの音読と目を離しての暗唱を合わせても、それほど大変な回数にはならないでしょう。あくまで口に落ち着けるのに必要な回数です。1の①「昨日私は疲れていました」というような単純な文と、3のwhen節を含む複文では、当然回数は異なってくるでしょう。いずれにしても、その場で口に落ち着けば十分ですから、何十回と繰り返す必要はありません。

④ 英作文の流し
　最後に10の日本文を連続して、一回ずつ英作文してみます。サイクル回しを重ねパートが完成した時には、流れるように瞬間英作文が連続してできるようになっていますが、1サイクル目では①〜③のステップを踏んだ後ではなかなかそうは行かないでしょう。気にすることはありません。ここでは、完成した状態との距離を測っておけばいいのです。特につかえる文や口に落ち着きにくいフレーズなどを補強練習しておくといいでしょう。

文章にすると悠長な感じがしますが、実際には①〜④のステップをスムーズに連続して行います。

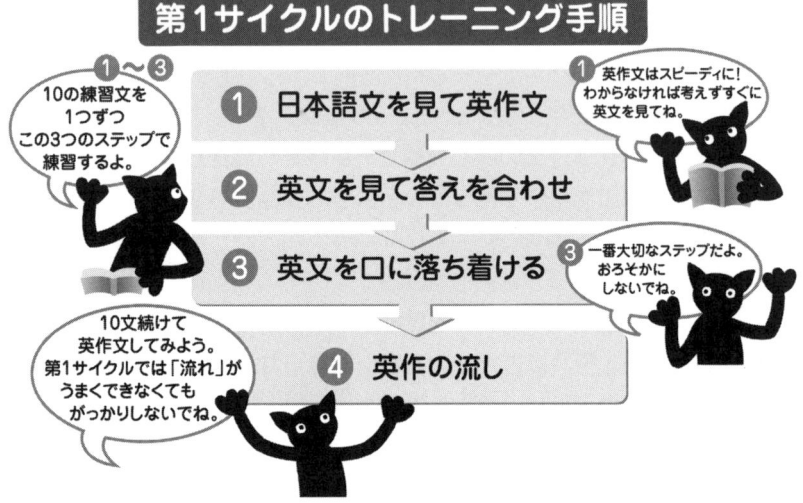

第2サイクル以降

　第2サイクル以降はすべて同じステップです。

① **英作文の流し**

　第1サイクルでは最後のステップだった「英作文の流し」を最初に行います。すらすらと流れなくても一向に構いません。あくまでも完成状態との開きを測定するためのステップです。

② **英文を口に落ち着ける**

英文を見ながら数回音読し、馴染んだところで目を上げて暗唱する第1サイクルの③、④のステップを行います。文構造・意味の理解、発話実感を伴いながら行ってください。

第2サイクル以降、この二つのステップを繰り返していくと刷り込みが進み、英文を口に落ち着けることがどんどん容易になっていきます。やがて、①の「英作文の流し」がスムーズにできるようになります。そうなると②のステップを踏む必要がなくなります。その際さらりと一回流しただけでは負荷が軽すぎ、刷り込みが十分に起こらないので、二、三回「英作文の流し」を行ってください。

瞬間英作文トレーニングに慣れてくると、5〜6サイクル目にこの「英作文の流し」ができるようになってきます。しかし、ここでサイクル回しをぱたっとやめてしまうのは、長期記憶を起こすのには不十分です。楽々と「英作文の流し」ができるようになった後、あと4〜5サイクル「英作文の流し」だけを数回行うことを何回か回してください。これを「**熟成サイクル回し**」と言います。楽になった状態で楽に数サイクル回しを行うことで初めて、文型や語彙が長期記憶倉庫へと移され保存されるのです。生真面目な人はすでにできることをなんの苦労もなしに行うことに半ば良心の呵責を感じたりしますが、そうしたストイシズムは不要です。これは上達のために必要不可欠なプロセスなのです。

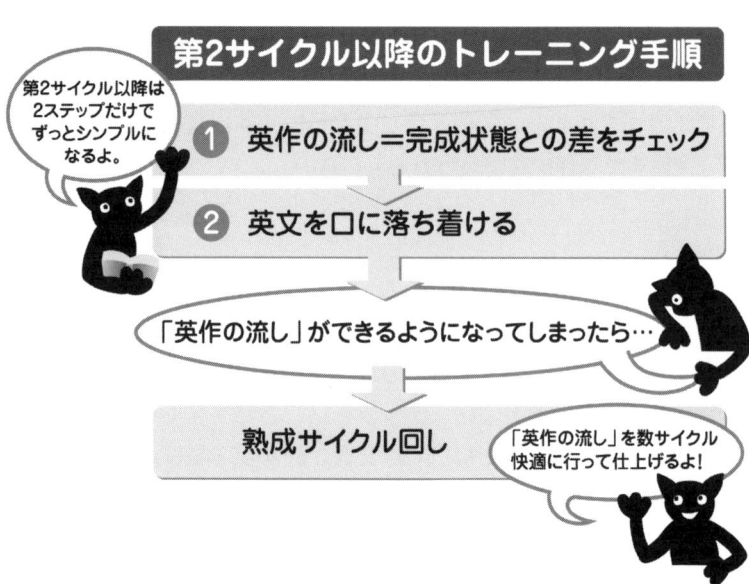

　以上のような流れに従い、一つのセグメントを完成したら、次のセグメントに移り同じ方法で完成します。こうしてすべてのセグメントを終了したらパート全体をサイクル法で完成します。これは各セグメントの第2サイクル以降の「英作文の流し」→「英文を口に落ち着ける」の手順で行います。こうしてパート全体の英作文が立て板に水のごとくできるようになったらめでたくそのパートの終了です。

CD の使い方

　本書には CD がついています。是非 CD を使ったトレーニングも行い、より大きな成果をあげてください。

　日本語文と対応する英文の間にポーズが入っているので、その間に英文を言う練習をします。日本語音声に反応して英文を即座に作っていくトレーニングは、視覚的に文字から英文を作っていくのとは異なる刺激を与えてくれます。

　ただ、決まった長さのポーズの間に英文を言うことはなかなか難しいですし、トレーニングの序盤から CD を使ったトレーニングを行うと、単に歌詞を覚えるように音だけを機械的に記憶してしまうことがあります。

　この危険を避けるために、トレーニング序盤では、CD の使用は発音やイントネーションなどを確かめる程度にとどめ、音に頼らず日本語から英文を作る作業を数サイクル行い、文型の操作感がしっかりつかめてから、本格的に CD を使い日本語音声に反応して英文を作り出すトレーニングを行うのが良いでしょう。

　具体的には、数サイクル目からは、途中の仕上がりを確かめる「英作の流し」に CD を使うと良いでしょう。始めはなかなかポーズの間に反応できなかったり、英文が収まりきらないでしょうが、サイクル数が増し、仕上がりが進むにつれ作業は容易になっていきます。
　仕上がってからの「熟成回し」には CD を使ったトレーニングがもっとも有効です。本を見ながらの視覚的な引き金と CD による聴覚的引き金の両方に対する瞬間英作文ができるようになれば、そのセグメント、パートが完成したといえます。

本書のトレーニングの仕方

文型ごとにトレーニングします

1 this / that

CD TRACK 01

① これは良い本です。

② この辞書は良い。

③ あれはおもしろい本ですか？ ― はい、そうです。

④ あの本はおもしろいですか？
― いえ、おもしろくありません。

⑤ これは正しくない。

⑥ あれは本物の花ではない。

⑦ このスープはあまり美味しくない。

⑧ これは塩ですか、それとも砂糖ですか？ ― 砂糖です。

⑨ 彼女はフランス人ですか、それともイタリア人ですか？
― フランス人です。

⑩ あの男性は日本人ですか、それとも中国人ですか？
― 日本人です。

 ワンポイントアドバイス

1～5

1～5 では be 動詞の文が自由に作れるようになる練習をします。基本的な文でも、学課として英語を勉強してきただけだと、口頭で英文を作ると実に初歩的なミスを次々と犯してしまうものです。

32

英文を作り出すための「引き金」として日本文を使います。考え込まず、スピーディーに英作文します。

テキストを見ながらの文字によるトレーニングと併行して、CD を使って耳からのトレーニングを行います。日本文を聴いてポーズの間に即座に英語にしてください。

頭では良くわかっている文法・文型でも、実際に英文を作ってみるとさまざまなミスをしてしまうもの。学習者がおかしやすい間違いや気をつけるべき点を中心に簡潔なアドバイスをします。

日本文 ……▶ ポーズ ……▶ 英文
（問題）　　　　　　　　（答え）

ここで瞬間英作文！

「引き金」の日本文に対する英文です。理解・納得するだけでなく、「英作文回路」を作るために必ず口に落ちつけます。

① This is a good book.

② This dictionary is good.

③ Is that an interesting book? — Yes, it is.

④ Is that book interesting?
— No, it isn't.

⑤ This is not right.

⑥ That is not a real flower.

⑦ This soup is not very tasty.

⑧ Is this salt or sugar? — It is sugar.

⑨ Is she French or Italian?
— She is French.

⑩ Is that man Japanese or Chinese?
— He is Japanese.

でも、がっかりしないでください。現状は現状として冷静に受け入れ、今から言語として英語を使うための実践的トレーニングを始めればよいのですから。始めさえすれば、頭で理解していることは、急速に使えるようになるものです。

33

★本書のトレーニングは、中学レベルの文法・文型を既に理解していることを前提にしています。各文法・文型項目についての細かな解説・説明はありません。

Part 1
中学1年レベル

1 this / that

CD 1 TRACK 01

① これは良い本です。

② この辞書は良い。

③ あれはおもしろい本ですか？ ― はい、そうです。

④ あの本はおもしろいですか？
　― いえ、おもしろくありません。

⑤ これは正しくない。

⑥ あれは本物の花ではない。

⑦ このスープはあまり美味しくない。

⑧ これは塩ですか、それとも砂糖ですか？ ― 砂糖です。

⑨ あの女性はフランス人ですか、それともイタリア人ですか？
　― フランス人です。

⑩ あの男性は日本人ですか、それとも中国人ですか？
　― 日本人です。

ワンポイントアドバイス
1～5

　1～5 では be 動詞の文が自由に作れるようになる練習をします。基本的な文でも、学課として英語を勉強してきただけだと、口頭で英文を作ると実に初歩的なミスを次々と犯してしまうものです。

① This is a good book.

② This dictionary is good.

③ Is that an interesting book? — Yes, it is.

④ Is that book interesting?
— No, it isn't.

⑤ This is not right.

⑥ That is not a real flower.

⑦ This soup is not very tasty.

⑧ Is this salt or sugar? — It is sugar.

⑨ Is that woman French or Italian?
— She is French.

⑩ Is that man Japanese or Chinese?
— He is Japanese.

　でも、がっかりしないでください。現状は現状として冷静に受け入れ、今から言語として英語を使うための実践的トレーニングを始めればよいのですから。始めさえすれば、頭で理解していることは、急速に使えるようになるものです。

2 these / those

CD 1 TRACK 02

① これらは子供向けの本です。

② あれらは本当の花ですか？ ― いいえ、違います。

③ この少年たちは中学生です。

④ あの少女たちは高校生ですか？ ― はい、そうです。

⑤ これらの車はとても高い。

⑥ あれらの家は新しくない。

⑦ これらは本ですか、それとも雑誌ですか？ ― 雑誌です。

⑧ あれらの車は新しいですか、それとも古いですか？
― 新しいです。

⑨ この男性たちはアメリカ人ですか、それともドイツ人ですか？ ― ドイツ人です。

⑩ あの女性たちは日本人ですか、それとも韓国人ですか？
― 韓国人です。

ワンポイントアドバイス
1~2 this that these those

　主語や目的語などになる代名詞としての使い方と、名詞を「この～」「あの～」のように飾る指示形容詞としての使い方をマスターします。

　トレーニング初期には口頭で英作文をすると、疑問文で be 動詞がダブってしまう間違いが起こりやすいので注意します。

① These are books for children.

② Are those real flowers? — No, they aren't.

③ These boys are junior high school students.

④ Are those girls high school students? — Yes, they are.

⑤ These cars are very expensive.

⑥ Those houses are not new.

⑦ Are these books or magazines? — They are magazines.

⑧ Are those cars new or old?
 — They are new.

⑨ Are these men American or German?
 — They are German.

⑩ Are those women Japanese or Korean?
 — They are Korean.

あれは彼の家ですか？→誤　Is that is his house?　正　Is that his house?
「これ」「この」イコール this で、「これら」「これらの」イコール these のように日本語と英語が完全に対応している錯覚には要注意です。

「この少年たち」「あの少女たち」は **this** boys, **that** girls ではなく、**these** boys, **those** girls です。

35

3 What is (are) ～?

CD 1 TRACK 03

① これは何ですか？ ― カメラです。

② あれは何ですか？ ― 灰皿です。

③ これは何ですか？ ― 置き時計です。

④ あれは何ですか？ ― 枕です。

⑤ これらは何ですか？ ― フランスの雑誌です。

⑥ あの鳥たちはなんですか？ ― 雀です。

⑦ あれらは何ですか？ ― 古い切手です。

⑧ あの男の人たちは何ですか？ ― 警官です。

⑨ あの女性たちはなんですか？ ― 秘書です。

⑩ あの人たちは何ですか？ ― 弁護士です。

> **ワンポイントアドバイス**
> ### 3～4 what / 人称代名詞 I, you, he, she, we, they
>
> What is (are)～? は「～はなんですか？」や人の職業をきいたりするパターンと人称代名詞の練習です。瞬間的に、主語に対する be 動詞の正しい形が使えるようにします。

① What is this? — It is a camera.

② What is that? — It is an ashtray.

③ What is this? — It's a clock.

④ What is that? — It's a pillow.

⑤ What are these? — They are French magazines.

⑥ What are those birds? — They are sparrows.

⑦ What are those? — They are old stamps.

⑧ What are those men? — They are policemen.

⑨ What are those women? — They are secretaries.

⑩ What are those people? — They are lawyers.

4 人称代名詞の主格

CD 1 TRACK 04

① 私は学生です。

② あなたは教師ですか？

③ 彼は弁護士です。

④ 彼女は看護師ですか？ ― いいえ、違います。

⑤ 私たちは日本人です。

⑥ あなた方は学生ですか？

⑦ 彼らは警官です。

⑧ 彼女たちは高校生ですか？ ― いいえ、違います。

⑨ あなた方は幸せですか？ ― はい、幸せです。

⑩ 彼は親切です。

① I am a student.

② Are you a teacher?

③ He is a lawyer.

④ Is she a nurse? — No, she isn't.

⑤ We are Japanese.

⑥ Are you students?

⑦ They are policemen.

⑧ Are they high school students? — No, they aren't.

⑨ Are you happy? — Yes, we are.

⑩ He is kind.

5 人称代名詞の所有格

CD 1 TRACK 05

① 彼女は私の先生です。

② あの猫はあなたのペットですか？

③ この子たちは彼女の生徒です。

④ あの少女たちは彼の娘です。

⑤ これは私たちの車です。

⑥ あれはあなたがたの教室ですか？

⑦ あれは彼らの家ですか？

⑧ 私の息子は大学生です。

⑨ あなたの奥さんは看護師ですか？

⑩ 彼女の目は青いですか？ ― いえ、違います。

ワンポイントアドバイス
5〜6 所有格 / Who is (are) 〜?

「あなたの〜」と所有格 your が主語を形容する時、
　　Are your father a doctor?（あなたのお父さんは医師ですか？）
というような間違いが起こりやすいです。主語は father ですから、be 動詞は is が正しいですね。主語と動詞が直感的に一致するようになるように練習しましょう。

① She is my teacher.

② Is that cat your pet?

③ These children are her students.

④ Those girls are his daughters.

⑤ This is our car.

⑥ Is that your classroom?

⑦ Is that their house?

⑧ My son is a college student.

⑨ Is your wife a nurse?

⑩ Are her eyes blue? — No, they aren't.

6 Who is (are) ～?

CD 1 TRACK 06

① この女の子は誰ですか？
― 僕の妹です。

② あの男の子は誰ですか？
― ロバートです。

③ あの男の人たちは誰ですか？
― 僕の父と兄です。

④ あの女の人たちは誰ですか？
― 私の母と姉です。

⑤ あの背の高い男の人は誰ですか？ ― ブラウンさんです。

⑥ あのきれいな女の人は誰ですか？ ― スミスさんです。

⑦ あんたは誰？ ― ジョン・グリーンです。

⑧ 私は誰？ ― あんたは私の娘だよ。

⑨ 彼らは誰なの？ ― 僕の友達だよ。

⑩ 彼女たちは誰ですか？ ― 私の生徒です。

① Who is this girl?
　— She is my sister.

② Who is that boy?
　— He is Robert.

③ Who are those men?
　— They are my father and brother.

④ Who are those women?
　— They are my mother and sister.

⑤ Who is that tall man? — He is Mr. Brown.

⑥ Who is that beautiful woman? — She is Ms. Smith.

⑦ Who are you? — I am John Green.

⑧ Who am I? — You are my daughter.

⑨ Who are they? — They are my friends.

⑩ Who are they? — They are my students.

7 一般動詞

CD 1 TRACK 07

① 私は車を2台持っています。

② あなたはピアノを持っていますか?
── いいえ、持っていません。

③ 彼はたくさんの本を持っている。

④ 私は野球が好きです。

⑤ あなたは動物が好きですか? ── はい、好きです。

⑥ トムはサッカーが好きです。彼の弟もサッカーが好きです。

⑦ あなたは英語を話しますか?

⑧ 彼らは日本語を上手に話します。

⑨ あなたのお父さんは学校で何を教えますか?
── 数学を教えます。

⑩ 彼は毎日野球をします。

ワンポイントアドバイス
一般動詞

一般動詞が登場します。be動詞との区別に気をつけます。肯定文はきちんと作れる人が、疑問文になると、

しあわせな
やつ

① I have two cars.

② Do you have a piano?
 — No, I don't.

③ He has many books.

④ I like baseball.

⑤ Do you like animals? — Yes, I do.

⑥ Tom likes soccer. His brother likes it, too.

⑦ Do you speak English?

⑧ They speak Japanese well.

⑨ What does your father teach at school?
 — He teaches mathematics.

⑩ He plays baseball every day.

「あなたはコーヒーが好きですか？」を Are you like coffee? とやってしまったりします。「あなたはコーヒーみたいですか？」とはなにかの謎かけでしょうか。初歩的ですが非常に多いミスですので、癖にならないように気をつけてください。

8 how many (much) ～

CD 1 TRACK 08

① あなたはかばんの中に本を何冊持っていますか？

② あなたのおじさんは車を何台持っていますか？

③ 彼にはいとこが何人いますか？

④ あなたは毎日ミルクをどれだけ飲みますか？

⑤ 彼女はお金がいくら必要なのですか？

⑥ 彼はいくつの言葉を話しますか？
　 ― 3 カ国語を話します。

⑦ このクラスには何人の生徒がいますか？
　 ― 40 人です。

⑧ エミリーには何人の兄弟姉妹がいますか？
　 ― 兄が一人に妹が二人います。

⑨ 彼は毎日コーヒーをどのくらい飲みますか？
　 ― 5、6 杯飲みます。

⑩ あなたのお兄さんは友達が何人くらいいますか？
　 ― わかりません。兄には友達が大勢います。

ワンポイントアドバイス
how many (much)～

　数・量をたずねる表現。加算名詞には how many 不可算名詞には how much という使い分けをマスターしましょう。how many の後の名詞は複数形になることを忘れずに。

① How many books do you have in your bag?

② How many cars does your uncle have?

③ How many cousins does he have?

④ How much milk do you drink every day?

⑤ How much money does she need?

⑥ How many languages does he speak?
　— He speaks three languages.

⑦ How many students does this class have?
　— It has forty students.

⑧ How many brothers and sisters does Emily have?
　— She has a brother and two sisters.

⑨ How much coffee does he drink every day?
　— He drinks five or six cups (of coffee).

⑩ How many friends does your brother have?
　— I don't know. He has many friends.

ペルシャ語だろ
アメリカンショートヘア語だろ
ミケ語だろ

9 人称代名詞の目的格

CD 1 TRACK 09

① 私は彼のことを知っています。

② あなたは彼女が好きですか？

③ 彼女は毎日彼らに会います。

④ 彼女たちは私のことをよく知っています。

⑤ 私は彼女たちがあまり好きではありません。

⑥ 彼は私たちのことが好きですか？

⑦ あなたのお父さんは私のことを知っていますか？

⑧ 私の母はあなたたちが大好きです。

⑨ あなたの息子さんはよく彼と遊びますか？

⑩ 彼女は時々彼らのためにピアノを弾きます。

ワンポイントアドバイス
9～10 目的格 / 独立所有格

英語の成績はよかったのに、「彼に会った」という英文を作るのに、「I met あ～、he-his-him.」というように代名詞の格変化表を頭の中で探らないと目的格が出

① I know him.

② Do you like her?

③ She sees them every day.

④ They know me well.

⑤ I don't like them very much.

⑥ Does he like us?

⑦ Does your father know me?

⑧ My mother likes you a lot.

⑨ Does your son often play with him?

⑩ She sometimes plays the piano for them.

てこない人が少なからずいます。センテンスの中で形を刷り込み、瞬間的に出てくるようにしましょう。独立所有格は記憶が曖昧になりがちです。復習してマスターしてください。

10 人称代名詞の独立所有格

CD 1 TRACK 10

① この自転車は僕のものです。

② あの大きな家はあなたのですか？

③ 彼女のカメラは新しい。彼のもまた新しい。

④ このノートはあなたのですか、それとも彼女のですか？

⑤ 彼らの学校は古い。私たちのは新しい。

⑥ この教室はあなたたちのですか？

⑦ あの大きな部屋は彼らのものです。

⑧ これらのペンは私のものではありません。

⑨ あの本は彼のですか、彼女のですか？

⑩ あれらの花は彼女たちのものですか？

① This bicycle is mine.

② Is that big house yours?

③ Her camera is new. His is new, too.

④ Is this notebook yours or hers?

⑤ Their school is old. Ours is new.

⑥ Is this classroom yours?

⑦ That big room is theirs.

⑧ These pens aren't mine.

⑨ Is that book his or hers?

⑩ Are those flowers theirs?

11 命令文 / Let's ～

CD 1 TRACK 11

① この本を読みなさい。

② 黒板にあなたの名前を書いてください。

③ 静かにしなさい。

④ 教科書を開いてはいけません。

⑤ うるさくしないでください。

⑥ 放課後サッカーをしようよ。

⑦ 彼らと海に行こう。

⑧ 彼女たちと遊ぼう。

⑨ この箱を開けましょう。

⑩ 明日東京に行こうよ。

ワンポイントアドバイス
命令文 / Let's ～

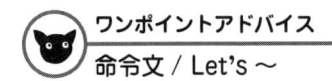

形は単純。否定形もあわせ反射的に使えるようにしましょう。

① Read this book.

② Write your name on the blackboard, please.

③ Be quiet.

④ Don't open your textbook.

⑤ Please don't be noisy.

⑥ Let's play soccer after school.

⑦ Let's go to the sea with them.

⑧ Let's play with them.

⑨ Let's open this box.

⑩ Let's go to Tokyo tomorrow.

12 whose

CD 1 TRACK 12

① これは誰のかばんですか。

② あの自転車は誰のですか？

③ あの少年たちは誰の生徒ですか？

④ あれは誰の自転車ですか？

⑤ あれらの切手は誰のですか？

⑥ これは誰のノートですか？ ― 彼のです。

⑦ このかわいい猫は誰のですか？ ― わたしたちのです。

⑧ あれは誰の部屋ですか？ ― あなたのです。

⑨ これらは誰の本ですか？ ― 彼らのです。

⑩ あれは誰のコンピュータですか？ ― 彼女たちのです。

ワンポイントアドバイス
whose

　Whose is(are)〜? Whose＋名詞 is(are)〜の二つのパターンを使えるようにします。

① Whose bag is this?

② Whose is that bicycle?

③ Whose students are those boys?

④ Whose bicycle is that?

⑤ Whose are those stamps?

⑥ Whose notebook is this? — It's his.

⑦ Whose is this cute cat? — It's ours.

⑧ Whose room is that? — It's yours.

⑨ Whose books are these? — They are theirs.

⑩ Whose computer is that? — It's theirs.

ある家の持ち主をききたい時、両パターンで言い分けると
   Whose is this house?
   Whose house is this?
となりますね。

13 where

CD 1 TRACK 13

① あなたの本はどこにありますか？

② あなたはどこで勉強しますか？

③ 彼女の猫はどこにいますか？

④ 彼女はどこに住んでいますか？

⑤ 彼らはどこにいますか？

⑥ 彼らはどこで野球をしますか？
― 公園でします。

⑦ あなたの弟はどこにいますか？ ― 自分の部屋にいます。

⑧ 君たちは毎日どこに行きますか？ ― 学校に行きます。

⑨ 卵（複数）はどこ？ ― 冷蔵庫の中だよ。

⑩ エミリーはどこの出身ですか？ ― カナダです。

ワンポイントアドバイス
13〜14 where / when

be 動詞の文と一般動詞の文を一緒に練習します。be 動詞の乱用に注意してください。

ボールとってください…

① Where is your book?

② Where do you study?

③ Where is her cat?

④ Where does she live?

⑤ Where are they?

⑥ Where do they play baseball?
— They play it in the park.

⑦ Where is your brother? — He is in his room.

⑧ Where do you go every day? — We go to school.

⑨ Where are the eggs? — They are in the refrigerator.

⑩ Where is Emily from? — She is from Canada.

あなたはどこで勉強しますか？	→誤	Where **are** you study?
	正	Where **do** you study?
彼はいつここに来ますか？	→誤	When **is** he come here?
	正	When **does** he come here?

14 when

CD 1 TRACK 14

① あなたのお母さんの誕生日はいつですか？

② 彼女はいつピアノを弾きますか？

③ あなたのお父さんはいつ釣りに行きますか？

④ クリスマスはいつですか？

⑤ あなたの子供たちはいつ宿題をしますか？

⑥ パーティーはいつ？ ― 来週の日曜だよ。

⑦ 彼女たちはいつサッカーをしますか？
― 毎週土曜日にします。

⑧ 彼と彼のお兄さんはいつキャッチボールをしますか？
― 毎日します。

⑨ あなたのお父さんはいつ夕食を作りますか？
― 日曜日によく作ります。

⑩ あなたはいつ彼に会いますか？ ― 毎日会います。

① When is your mother's birthday?

② When does she play the piano?

③ When does your father go fishing?

④ When is Christmas?

⑤ When do your children do their homework?

⑥ When is the party? — It is next Sunday.

⑦ When do they play soccer?
— They play it every Saturday.

⑧ When do he and his brother play catch?
— They play it every day.

⑨ When does your father cook dinner?
— He often cooks it on Sundays.

⑩ When do you see him? — I see him every day.

15 which

① どちらがあなたの自転車ですか？

② どちらが彼の家ですか、こちらですかそれともあちらですか？

③ どちらが彼女の鉛筆（複数）ですか？

④ どれがあなたのお父さんの車ですか？

⑤ どの本があなたのですか？

⑥ どの女の人が彼女の先生ですか？
 ― あの背の高い女の人です。

⑦ どちらがあなたの生徒ですか、こちらの子供たちですかそれともあちらの子供たちですか？ ― この子たちです。

⑧ どの犬が彼女のですか？ ― あの大きい犬です。

⑨ どちらがあなたのお父さんのお気に入りの椅子ですか、こちらですかそれともあちらですか？ ― あちらの椅子です。

⑩ どちらが彼の好きなスポーツですか、野球ですかそれともサッカーですか？ ― サッカーです。

ワンポイントアドバイス
which

which を単独で使うパターンと which ＋名詞のパターンを使いこなせるようにします。

君の変わった
自転車だね

① Which is your bicycle?

② Which is his house, this one or that one?

③ Which are her pencils?

④ Which is your father's car?

⑤ Which book is yours?

⑥ Which woman is her teacher?
— That tall woman is.

⑦ Which are your students, these children or those children? — These children are.

⑧ Which dog is hers? — That big dog is.

⑨ Which is your father's favorite chair, this one or that one? — That one is.

⑩ Which is his favorite sport, baseball or soccer?
— Soccer is.

どちらがあなたの車ですか？→ Which is your car?
どちらの車があなたのですか？→ Which car is yours?

16 it

CD 1 TRACK 16

① 今日は晴れている。

② 東京は晴れていますか？

③ 今、ロンドンでは朝の 10 時です。

④ 今日、パリは暑いですか？

⑤ オーストラリアでは今夏です。

⑥ その部屋の中は暗い。

⑦ 入っておいで。ここは暖かいよ。

⑧ 夕食の時間だ。

⑨ その国ではいつも暖かい。

⑩ 彼の部屋の中はあまり暖かくない。

ワンポイントアドバイス
it

　天気、時間、温度など主体が漠然としていて、日本語では主語を立てない場合でも、英語では it を主語として立てます。この正体不明の it は主語だけでなく、目的語や補語にも姿を変えさまざまな英語表現に登場します。まずは基本を。

① It is fine today.

② Is it fine in Tokyo?

③ It is ten o'clock in the morning in London now.

④ Is it hot in Paris today?

⑤ It is summer in Australia now.

⑥ It is dark in the room.

⑦ Come in. It is warm here.

⑧ It's dinner time.

⑨ It's always warm in the country.

⑩ It isn't very warm in his room.

17 What time ～?

CD 1 TRACK 17

① 今何時ですか？

② あなたは何時に寝ますか？

③ 今、東京は何時なの？

④ 最初の授業は何時に始まるのですか？

⑤ あなたのお父さんは毎晩何時に帰宅しますか？

⑥ あなたの家では何時に夕食を食べますか？
　― 7 時に食べます。

⑦ 今、あなたの国では何時ですか？
　― 夜の 9 時です。

⑧ あなたの妹と弟は何時に学校に行きますか？
　― 8 時に行きます。

⑨ 彼のお兄さんは何時に起きますか？
　― 5 時に起きます。

⑩ この授業は何時に終わりますか？
　― 8 時 45 分に終わります。

ワンポイントアドバイス
What time ～

be 動詞と一般動詞の文の混同に気をつけて練習します。

① What time is it now?

② What time do you go to bed?

③ What time is it in Tokyo now?

④ What time does the first class begin?

⑤ What time does your father come home every evening?

⑥ What time do you have dinner at your home?
— We have it at seven o'clock.

⑦ What time is it in your country now?
— It is nine o'clock at night.

⑧ What time do your sister and brother go to school?
— They go to school at eight o'clock.

⑨ What time does his brother get up?
— He gets up at five o'clock.

⑩ What time does this class end?
— It ends at eight forty-five.

あなたは何時に寝ますか？→誤　What time **are** you go to bed?
　　　　　　　　　　　　正　What time **do** you go to bed?

18 how

CD 1 TRACK 18

① ご機嫌いかがですか？ ― 元気です、ありがとうございます。

② あなたの息子さんはどうやって学校に行きますか？

③ あなたのおばあさんの具合はいかがですか？

④ ブラウンさんはどうやって会社に行きますか？

⑤ これはどのように使うのですか？

⑥ ニューヨークでは天気はいかがですか？
― よく晴れています。

⑦ 彼らはどのように日本に来るのですか？
― 飛行機で来ます。

⑧ お父さんとお母さんはいかがですか？
― 元気です、ありがとう。

⑨ トムはどんな風に歩きますか？ ― ゆっくり歩きます。

⑩ ロバートはどのように日本語を話しますか？
― とても上手に話します。

ワンポイントアドバイス
18〜19 how / how old, how tall

howは形容詞や副詞とのコンビネーションでさまざまな表現を作りますが、本来の「どのように」という意味を忘れている人が多いものです。**18**で単独での

① How are you? — I'm fine, thank you.

② How does your son go to school?

③ How is your grandmother?

④ How does Mr. Brown go to the office?

⑤ How do I use this?

⑥ How is the weather in New York?
　— It is very fine.

⑦ How do they come to Japan?
　— They come by airplane.

⑧ How are your father and mother?
　— They are fine, thank you.

⑨ How does Tom walk? — He walks slowly.

⑩ How does Robert speak Japanese?
　— He speaks it very well.

使い方をおさらいします。
　すでに出た how many / much について、**19** では「年齢・古さ」をきく how old と背丈をきく how tall を練習します。

19 How old (tall) ～?

CD 1 TRACK 19

① あなたは何歳ですか？
　― 15 歳です。

② あなたのお母さんはいくつですか？
　― 42 歳です。

③ あの子たちは何歳ですか？
　― 7 歳です。

④ あなたの背はどれくらいですか？
　― 160 センチ（1 メーター 60 センチ）です。

⑤ トムの背はどれくらいですか？　― 6 フィート 2 インチです。

⑥ 彼らの背はどのくらいですか？　― 2 メートル以上あります。

⑦ このお城はどのくらいの古さですか？
　― 500 年位です。

⑧ この本はいくらですか？　― 1000 円です。

⑨ この自転車はいくらですか？
　― 2 万円です。

⑩ あの自動車はいくらですか？　― 300 万円です。

① How old are you?
— I am fifteen years old.

② How old is your mother?
— She is forty-two years old.

③ How old are those children?
— They are seven years old.

④ How tall are you?
— I am one hundred and sixty centimeters [one meter sixty centimeters].

⑤ How tall is Tom? — He is six feet two inches.

⑥ How tall are they? — They are over two meters.

⑦ How old is this castle?
— It is about five hundred years old.

⑧ How much is this book? — It is one thousand yen.

⑨ How much is this bicycle?
— It is twenty thousand yen.

⑩ How much is that car? — It is three million yen.

20 疑問詞主語の who

CD 1 TRACK 20

① 誰がこの部屋を掃除するのですか？

② 誰がこの家に住んでいますか？

③ 誰が英語を上手に話しますか？

④ 誰があのピアノを弾くのですか？

⑤ 誰がこの公園で毎日キャッチボールをしますか？

⑥ 誰がフランス語を教えますか？— ホワイトさんです。

⑦ あなたの家では普通は誰が夕食を料理しますか？
— 母がします。

⑧ 誰がこの車を運転しますか？ — 私の両親です。

⑨ 誰がこの辞書を欲しがっていますか？
— 多くの生徒が欲しがっています。

⑩ 誰がこの机を使いますか？ — 私の姉です。

ワンポイントアドバイス
疑問詞主語

　疑問詞が主語になるパターンの練習です。倒置が起こらず、平叙文の語順になることをしっかり理解します。
　　He uses this room.（彼がこの部屋を使います。）
　　Who uses this room?（誰がこの部屋を使いますか？）
　　The cat is under the table.（猫はテーブルの下にいます。）
　　What is under the table?（何がテーブルの下にいますか？）

① Who cleans this room?

② Who lives in this house?

③ Who speaks English well?

④ Who plays that piano?

⑤ Who plays catch in this park every day?

⑥ Who teaches French? — Mr. White does.

⑦ Who usually cooks dinner in your family?
— My mother does.

⑧ Who drives this car? — My parents do.

⑨ Who wants this dictionary?
— Many students do.

⑩ Who uses this desk? — My sister does.

次のような間違いに気をつけてください。
do, does をつけてしまう。
　　誰がこの部屋を掃除しますか？→誤　Who **does** clean this room?
　　　　　　　　　　　　　　　　正　Who **cleans** this room?
無意味に do you を挿入してしまう。
　　誰が英語を教えますか？→誤　Who **do you** teach English?
　　　　　　　　　　　　　正　**Who teaches** English?

21 can

CD 1 TRACK 21

① 私の言うことが聞こえますか？

② トムはとても上手に日本語を話すことができます。

③ 私はピアノとバイオリンが弾けます。

④ 彼女は車の運転ができません。

⑤ あなたは海で泳げますか？

⑥ あの外国人たちは箸(はし)を使うことができますか？

⑦ 彼女は何カ国語を話せますか？

⑧ あなたは100メートルを11秒で走れますか？

⑨ あなたは何ができますか？

⑩ どこでライオンを見ることができますか？
― アフリカで見ることができます。

ワンポイントアドバイス
21〜22 can / 現在進行形

can は助動詞ですから、動詞は必ず原型になることに注意します。
　　彼は英語を話すことができますか？→誤　Can he **speaks** English?
　　　　　　　　　　　　　　　　　　　正　Can he **speak** English?
現在進行形の文では be 動詞の脱落が起こりやすいので気をつけます。be 動詞がないとレベル 3 で扱う分詞の修飾になってしまいます。

① Can you hear me?

② Tom can speak Japanese very well.

③ I can play the piano and the violin.

④ She can't drive.

⑤ Can you swim in the sea?

⑥ Can those foreigners use chopsticks?

⑦ How many languages can she speak?

⑧ Can you run one hundred meters in eleven seconds?

⑨ What can you do?

⑩ Where can we see lions?
 — We can see them in Africa.

「その少年は部屋で勉強している」を The boy studying in the room. にすると、文ではなく、「部屋で勉強している少年」という句になってしまいます。

正しくは The boy is studying in the room. ですね。

疑問文の時、do, does を使ってしまう間違いもよく見られますので気をつけてください。

　　彼女は眠っているのですか？→誤　**Does** she sleeping?
　　　　　　　　　　　　　　　正　**Is** she sleeping?

22 現在進行形

CD 1 TRACK 22

① 私は今朝食を食べているところです。

② あなたは英語を話しているのですか？

③ 僕の弟は部屋で宿題をしています。

④ 君は今何をしているの？

⑤ 子供たちは公園で何をしていますか？

⑥ エミリーはどこでピアノを弾いているの？
 ― 音楽室で弾いているんだよ。

⑦ 彼女は何語を話しているのですか？
 ― フランス語を話しています。

⑧ 君は何を食べているの？ ― スパゲッティーを食べてるよ。

⑨ トムとジョンは何をしているの？
 ― キャッチボールをしてるよ。

⑩ 彼はいつもテレビを見ている。

① I am eating breakfast now.

② Are you speaking English?

③ My brother is doing his homework in his room.

④ What are you doing now?

⑤ What are the children doing in the park?

⑥ Where is Emily playing the piano?
　— She is playing it in the music room.

⑦ What language is she speaking?
　— She is speaking French.

⑧ What are you eating? — I am eating spaghetti.

⑨ What are Tom and John doing?
　— They are playing catch.

⑩ He is always watching TV.

23 There is (are) 〜

CD 1 TRACK 23

① その部屋には窓が三つあります。

② 庭には木が（何本か）ありますか？

③ このクラスには生徒が何人いますか？

④ 彼の部屋には本が3冊しかない。

⑤ 世界にはいくつの言語がありますか？

⑥ この庭には花が一輪もない。

⑦ 一年は何カ月ですか？

⑧ この町には公園がたくさんありますか？ — はい、あります。

⑨ その丘の上には高い木が何本かある。

⑩ この学校には女の子が一人もいない。

ワンポイントアドバイス
There is (are) 〜.

名詞の単複と be 動詞との一致に注意します。
　公園には大勢の人がいる。→誤　There **is** many people in the park.
　　　　　　　　　　　　　　正　There **are** many people in the park.

① There are three windows in the room.

② Are there any trees in the garden?

③ How many students are there in this class?

④ There are only three books in his room.

⑤ How many languages are there in the world?

⑥ There are not any flowers in this garden.

⑦ How many months are there in a year?

⑧ Are there many parks in this town? — Yes, there are.

⑨ There are some tall trees on the hill.

⑩ There aren't any girls in this school.

この部屋には本が一冊も無い。 →誤　There **isn't** any books in this room.
　　　　　　　　　　　　　　　　正　There **aren't** any books in this room.

Part 2
中学2年レベル

1 過去形

CD 1 TRACK 24

① 昨日私は疲れていました。

② その時彼女はとても幸福でした。

③ 突然ピーターが部屋に入ってきました。

④ 君はいつ宿題をしたのですか？

⑤ 私たちは去年アメリカを訪れました。

⑥ 彼らは昼食に何を食べましたか？

⑦ 彼女はどのように動物園に行きましたか？
  ― 電車で行きました。

⑧ 公園には子供たちがたくさんいました。

⑨ 一時間前君はどこにいたの？ ― 自分の部屋にいたよ。

⑩ 彼女たちは僕たちにとても親切だった。

ワンポイントアドバイス
過去形

　Part 1 では時制は現在形だけでしたが、Part 2 以降ではさまざまな時制を扱います。頭では理解していても、実際に適切な時制を使いこなすのは難しいもの。英作文回路のできていない人の英語は、昨日のことを言っているのに **I go to Tokyo yesterday.** と言ったり、過去から現在までの時間の幅があり現在完了形を使うべき「私は横浜に10年住んでいる」というような文を、**I lived** in

① I was tired yesterday.

② She was very happy then.

③ Peter came into [entered] the room suddenly.

④ When did you do your homework?

⑤ We visited America last year.

⑥ What did they eat for lunch?

⑦ How did she go to the zoo?
— She went there by train.

⑧ There were many children in the park.

⑨ Where were you an hour ago? — I was in my room.

⑩ They were very kind to us.

Yokohama for 10 years. と単なる過去形にしたりと、時制が滅茶苦茶になりがちです。適切な時制を使えるようにしっかり練習しましょう。まずは、過去形から。

　過去形では、動詞が過去形になります。一般動詞は、語末が ed になる規則動詞とこの規則に縛られない不規則動詞に分かれます。be 動詞の過去形は was と were の二つです。

2 過去進行形

CD 1 TRACK 25

① 彼女はその時ピアノを弾いていました。

② あなたは英語を勉強していたのですか？

③ 二時間前トムは何をしていましたか？

④ 誰がこの部屋で眠っていたのですか？

⑤ 今朝あなたはエミリーと話をしていましたか？

⑥ その時彼らは先生の言うことを聴いていなかった。

⑦ 今日の午後君は何を読んでいたの？
　― 雑誌を読んでいたよ。

⑧ その外国人は何語を話していましたか？
　― スペイン語を話していました。

⑨ 君の妹はなぜ泣いていたのですか？

⑩ その時僕は風呂に入っていませんでした。

ワンポイントアドバイス
過去進行形

　過去進行形は、現在進行形を過去へスライドしたものです。過去の一点での物事の進行を表します。公式は、be動詞の過去形＋現在分詞です。

① She was playing the piano then.

② Were you studying English?

③ What was Tom doing two hours ago?

④ Who was sleeping in this room?

⑤ Were you talking with Emily this morning?

⑥ They were not listening to the teacher then.

⑦ What were you reading this afternoon?
― I was reading a magazine.

⑧ What language was the foreigner speaking?
― He [She] was speaking Spanish.

⑨ Why was your sister crying?

⑩ I was not taking a bath then.

3 when 節

CD 1 TRACK 26

① 彼に再会した時、彼女はとても幸せだった。

② 夏が来るとたくさんの人が海に行く。

③ 昨夜帰宅した時、父はとても疲れていた。

④ お母さんが部屋に入ってきた時、僕は宿題をしていた。

⑤ 勉強する時彼はいつもこの机を使うのですか？

⑥ 君がロバートに電話した時、彼は家にいましたか？

⑦ 子供の時、僕の弟は体があまり丈夫ではなかった。

⑧ 僕のおじは若い時英語とドイツ語を勉強した。

⑨ 先生が教室にいる時、生徒たちはとても静かだ。

⑩ 君が学校から帰った時君のお兄さんは何をしていましたか？

ワンポイントアドバイス
when 節

接続詞 when を使い、「～する時」という従属節を作ります。when 節が前にくることも、後ろにくることもできます。日本語のものの言い方に影響されて、

① She was very happy when she saw him again.

② When summer comes, many people go to the sea.

③ My father was very tired when he got (back) home last night.

④ I was doing my homework when my mother came into [entered] the room.

⑤ Does he always use this desk when he studies?

⑥ Was Robert at home when you called him?

⑦ My brother was not very strong when he was a child.

⑧ My uncle studied English and German when he was young.

⑨ When the teacher is in the classroom, the students are very quiet.

⑩ What was your brother doing when you came back home from school?

---

when 節が前にくる文に偏りがちですので、どちらのパターンも使いこなせるようにしましょう。

4 一般動詞の SVC

CD 1 TRACK 27

① 彼はとても忙しそうだ。

② 彼女はそのドレスを着てとてもきれいに見えた。

③ その知らせを聞いた時、彼はとても怒った。

④ 木の葉はいつ黄色くなりますか？

⑤ お父さんの髪が白髪になってきている。

⑥ このスープはとてもいい味がする。

⑦ この石鹸はいい匂いがする。

⑧ その子犬はとても大きくなった。

⑨ その少女は成長して、何になりましたか？

⑩ 君のお母さんは若く見えるね。

ワンポイントアドバイス
一般動詞の SVC

　SVC 文型は、主語 S と補語 C がイコール関係にある文型で、この文型で使われる動詞はイコール記号そのものの意味を持つ be 動詞が代表格ですが、一般動詞も使われます。ただ、一般動詞の場合は、be 動詞のように主語と補語が純粋なイコールではなく、「～になる」「見える」「味がする」など様子、変化などを表します。be 動詞を水晶のような透明なイコールとすると、一般動詞はさまざ

① He looks very busy.

② She looked very beautiful in the dress.

③ When he heard the news, he got very angry.

④ When do the leaves turn yellow?

⑤ My father's hair is turning gray.

⑥ This soup tastes very good.

⑦ This soap smells good.

⑧ The puppy became very big.

⑨ What did the girl become when she grew up?

⑩ Your mother looks young.

まな色のついたサングラスといったところでしょうか？
　一般動詞の SVC 文型を苦手にする学習者は多く、よくある間違いは、
　This dish tastes **good**.（この料理は美味しい）
　This coffee smells **good**.（このコーヒーが良い香りがする）
のような文で形容詞の good を副詞の well にしてしまうものです。しっかり理解して練習しましょう。

5 SVO + to (for)

CD 1 TRACK 28

① お父さんは古い辞書を僕にくれた。

② 彼女は一枚の写真を私たちに見せた。

③ それを犬にあげなさい。

④ エミリーがあなたに英語を教えるのですか？

⑤ 彼はあなたに自転車を貸してくれましたか？

⑥ お姉さんが僕にドーナツを作ってくれた。

⑦ ブラウンさんは彼女にその話をしましたか？

⑧ トムは彼らに自分の新車を見せた。

⑨ あなたは彼にお金をいくらあげたのですか？

⑩ 彼女は妹にかわいい人形を作ってあげた。

ワンポイントアドバイス
SVO + to (for)

いわゆる第3文型。主語・動詞・目的語の次に「〜に、〜のために」という情報を加えたい時は、前置詞を挟みます。

例 I gave a book to him.（私は彼に本をあげた）
　　She made a cake for me.（彼女は私のためにケーキを作ってくれた）

① My father gave an old dictionary to me.

② She showed a picture to us.

③ Give it to the dog.

④ Does Emily teach English to you?

⑤ Did he lend a bicycle to you?

⑥ My sister made some doughnuts for me.

⑦ Did Mr. Brown tell the story to her?

⑧ Tom showed his new car to them.

⑨ How much money did you give to him?

⑩ She made a pretty doll for her sister.

　この時、to と for の使い分けに迷う人が多いですが、一般に「与える」「見せる」「手紙を書く」など受け手を前提とする動詞は to を、「作る」「料理をする」など必ずしも受け手が必要でなく、「（わざわざ）〜のために」という意味合いになる時は for を使うと考えるとわかりやすいでしょう。

6 SVOO

CD 1 TRACK 29

① 兄が僕に本を一冊くれた。

② 私は彼らに一枚の写真を見せた。

③ 猫にえさを少し（いくらかのえさを）あげなさい。

④ あなたのお父さんがあなたに数学を教えてくれるのですか？

⑤ 彼女は彼に辞書を貸してあげましたか？

⑥ お母さんが僕にクッキーを作ってくれた。

⑦ おじいさんが僕たちにおもしろい話をしてくれた。

⑧ ピーターは彼女に彼の新しい自転車を見せた。

⑨ 彼女たちは彼にお金をいくらかあげた。

⑩ おばあさんが彼女に素敵な人形を作ってあげた。

ワンポイントアドバイス
SVOO

　二つの目的語（間接目的語・直接目的語）を持つ第4文型。前置詞は必要ありません。間接目的＋直接目的語の順序を間違えないように。

① My brother gave me a book.

② I showed them a picture.

③ Give the cat some food.

④ Does your father teach you mathematics?

⑤ Did she lend him a dictionary?

⑥ My mother made me some cookies.

⑦ My grandfather told us an interesting story.

⑧ Peter showed her his new bicycle.

⑨ They gave him some money.

⑩ Her grandmother made her a nice doll.

I gave a book my brother. だと「本に弟をあげた」になってしまいます。
弟に本をあげたのなら、I gave my brother a book. の語順です。

7 will（単純未来）

CD 1 TRACK 30

① 私は10月に17歳になります。

② 明日のパーティーはとても楽しいでしょう。

③ そのテストはそんなに難しくないでしょう。

④ お昼ご飯がもうじきできるわよ。

⑤ 彼女はいい先生になるでしょう。

⑥ 彼らは今夜帰って来るでしょうか？

⑦ 明後日は晴れるでしょうか？

⑧ 彼の手紙は数日後に届く（到着する）でしょう。

⑨ 彼女たちはいつ日本に来るのでしょうか？
── 来月来ます。

⑩ みんな幸福になるでしょう。

ワンポイントアドバイス
7〜9 will, shall

7 では**単純未来のwill**を、**8** では**意志未来のwill**を練習します。willを使った文でbe動詞を落とす間違いを犯す人が多いので気をつけてください。

彼はまもなく戻ってくるでしょう。→誤　He will back soon.
　　　　　　　　　　　　　　　　正　He will be back soon.
明日は晴れるでしょうか？　→誤　Will it fine tomorrow?
　　　　　　　　　　　　　正　Will it be fine tomorrow?

① I will be seventeen years old in October.

② Tomorrow's party will be a lot of fun.

③ The examination will not [won't] be so difficult [hard].

④ Lunch will be ready soon.

⑤ She will be [become] a good teacher.

⑥ Will they be back tonight?

⑦ Will it be fine [sunny] the day after tomorrow?

⑧ His letter will arrive in a few days.

⑨ When will they come to Japan?
　— They will come next month.

⑩ Everybody [Everyone] will be happy.

---

9 では依頼の **will** と申し出、勧誘の **shall** を練習します。will と shall の混同に気をつけてください。

　　窓を開けてくれますか？→誤　Shall you please open the window?
　　　　　　　　　　　　　　正　Will you please open the window?
　　コーヒーをお入れしましょうか？→誤　Will I make some coffee for you?
　　　　　　　　　　　　　　　　　正　Shall I make some coffee for you?
　　出発しようか？　→誤　Will we start?
　　　　　　　　　　正　Shall we start?

8 will（意志未来）

CD 1 TRACK 31

① 私がそれをやります。

② 僕はいつかアメリカに行くぞ。

③ 私はあなたにもう会いません。

④ 僕が君の宿題を手伝ってあげるよ。

⑤ 私はそんな本は読みません。

⑥ 僕は英語とロシア語を身につけるぞ。

⑦ あなたのことは絶対に忘れません。

⑧ 一週間したら戻ってくるからね。

⑨ 僕は今夜外出しないよ。

⑩ 今日宿題を終わらせるぞ。

① I will do it.

② I will go to America someday.

③ I will not [won't] see you again.

④ I will help you with your homework.

⑤ I will not [won't] read such a book.

⑥ I will learn English and Russian.

⑦ I will never forget you.

⑧ I will be back in a week.

⑨ I will not [won't] go out tonight.

⑩ I will finish my homework today.

9 will（依頼）／shall（申し出・誘い）

CD 1 TRACK 32

① 手伝ってくれるかい？ ― いいとも。

② 窓を閉めてくれませんか？ ― いいですよ。

③ 僕に自転車を貸してくれない？
 ― ごめんね、でも貸せないんだ。

④ みんなのためにピアノを弾いてくれませんか？
 ― いいですよ。

⑤ コーヒーを入れてくれるかい？ ― いいよ。

⑥ 紅茶をもうすこし飲みますか？ ― はい、お願いします。

⑦ あなたに椅子を持って来ましょうか？
 ― はい、お願いします。

⑧ あなたに夕食を作ってあげましょうか？
 ― いいえ、結構です。

⑨ 彼らと野球をしようか？ ― うん、しよう。

⑩ 公園でサッカーをしようか？ ― いや、やめとこう。

① Will you please help me? — Sure.

② Will you please close the window? — All right.

③ Will you please lend me your bicycle?
— I'm sorry but I can't.

④ Will you please play the piano for everyone?
— Certainly.

⑤ Will you please make some coffee? — Sure.

⑥ Will you have some more tea? — Yes, please.

⑦ Shall I bring [get] you a chair?
— Yes, please.

⑧ Shall I cook dinner for you?
— No, thank you.

⑨ Shall we play baseball with them? — Yes, let's.

⑩ Shall we play soccer in the park? — No, let's not.

10 be going to

CD 1 TRACK 33

① 私は今日の午後彼に駅前で会う予定です。

② 彼の飛行機は何時にパリに着くのですか？

③ 誰が彼女を駅前で（車で）拾うのですか？

④ あなたは大学で何を勉強するつもりですか。

⑤ あなたはどこに泊まるつもりですか？
── 海辺のホテルに泊まるつもりです。

⑥ あなたはいつ日本を出発する予定ですか？
── 来週発つ予定です。

⑦ 彼女はいくつの国を訪れる予定ですか？
── 7カ国の予定です。

⑧ 彼は午前中にその仕事を終える予定だった。

⑨ 彼らは何を食べるつもりでしたか？
── 中華料理を食べるつもりでした。

⑩ 夏休みはヨーロッパを旅して回る予定なんだ。

ワンポイントアドバイス

10〜13 助動詞 must, may と助動詞のような働きをする連語

must は「しなければならない」という義務の意味を、may は「してもよい」という許可の意味を動詞に加えます。否定になると両方とも「してはならない」という禁止の意味になります。

be going to は will のように未来のことを表しますが、主に予定として決まっているようなことがらを言う時に用います。

① I am going to meet him in front of the station this afternoon.

② What time is his flight going to arrive in Paris?

③ Who is going to pick her up in front of the station?

④ What are you going to study at college?

⑤ Where are you going to stay?
— I'm going to stay at a hotel by the sea.

⑥ When are you going to leave Japan?
— I'm going to leave next week.

⑦ How many countries is she going to visit?
— She is going to visit seven countries.

⑧ He was going to finish the work in the morning.

⑨ What were they going to eat?
— They were going to eat Chinese food.

⑩ I'm going to travel around Europe during the summer vacation.

---

have to は must と同じく「〜しなければならない」ですが、**否定では、禁止ではなく「〜しなくてもよい」という意味**になるので注意してください。

be able to は can と同じく「〜できる」という意味ですが、can が持つ「〜でありうる」という可能性の意味は持ちません。また、未来の文中 will の後で can が使えない時のみに使うと勘違いしている人が少なからずいますが、もちろんすべての時制で使います。

11 must / may

CD 1 TRACK 34

① あなたは宿題を今日しなければいけません。

② 僕は今晩家にいなければなりませんか？

③ 子供はそこに一人で行ってはなりません。

④ 一日中テレビを見てはいけません。

⑤ あなたはお年寄りたちに親切にしなければなりません。

⑥ このパンを食べてもいいですか？ — はい、いいですよ。

⑦ あの人と話してもいいですか？ — いいえ、いけません。

⑧ 君たちはこの湖で泳いでもいいですよ。

⑨ このアルバムを見てもいいですか？ — いいえ、いけません。

⑩ 弟とあなたの家に行ってもいいですか？
　— はい、いいですよ。

① You must do your homework today.

② Must I stay home tonight?

③ A child must not go there alone.

④ You mustn't watch TV all day.

⑤ You must be kind to old people.

⑥ May I eat this bread? — Yes, you may.

⑦ May I talk to that person? — No, you may not.

⑧ You may swim in this lake.

⑨ May I look at this album? — No, you may not.

⑩ May I go to [visit] your house with my brother?
— Yes, you may.

12 have to

CD 1 TRACK 35

① この学校では学生たちは制服を着なくてはならない。

② 僕たちはこれらの本を読まなくてはいけませんか？
— はい、そうです。

③ 私は英語を話さなくてはなりませんか？
— いいえ、話さなくてもいいです。

④ 彼は車を3台洗わなくてはならない。

⑤ 彼女はその部屋で静かにしていなければなりませんか？
— はい、そうです。

⑥ 彼女は皿を洗わないでもよかった。

⑦ 彼女は一人でそこに行かないですんだ。

⑧ なぜ彼はそんなに一生懸命勉強しなければならないのですか？

⑨ トムと彼の弟は自分たちの部屋を掃除しなければならない。

⑩ エミリーは何をしなければならなかったのですか？
— ピアノを練習しなければなりませんでした。

① Students have to wear uniforms in this school.

② Do we have to read these books?
　— Yes, you do.

③ Do I have to speak English?
　— No, you don't.

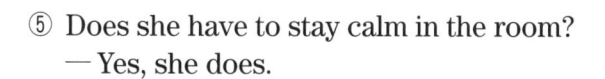

④ He has to wash three cars.

⑤ Does she have to stay calm in the room?
　— Yes, she does.

⑥ She didn't have to wash the dishes.

⑦ She didn't have to go there alone.

⑧ Why does he have to study so hard?

⑨ Tom and his brother have to clean their rooms.

⑩ What did Emily have to do?
　— She had to practice the piano.

13 be able to

CD 1 TRACK 36

① その国であなたは多くのことを学べるでしょう。

② 僕は来週そこで彼らに会うことができるでしょう。

③ 彼女は日本語を上手に話せるようになるでしょう。

④ 僕たちは昨日その湖で一日中泳ぐことができました。

⑤ 先週あなたは何冊の本を読むことができましたか？

⑥ 誰がその問題を解くことができましたか？

⑦ 彼らはそこでとんぼを一匹も捕まえることができませんでした。

⑧ 僕はもうすぐ車の運転ができるようになるでしょう。

⑨ その当時彼女はとても上手にピアノを弾くことができた。

⑩ 彼はホワイトさんと英語で話すことができましたか？
　— はい、できました。

① You will be able to learn many things in the country.

② I will be able to see them there next week.

③ She will be able to speak Japanese well.

④ We were able to swim in the lake all day yesterday.

⑤ How many books were you able to read last week?

⑥ Who was able to solve the problem?

⑦ They weren't able to catch any dragonflies there.

⑧ I will be able to drive soon.

⑨ She was able to play the piano very well then [in those days].

⑩ Was he able to speak with Mr. White in English?
  — Yes, he was.

14 感嘆文

CD 1 TRACK 37

① 彼はなんと親切なのでしょう。

② 彼はなんと偉大な作家なのでしょう。

③ タマはなんとかわいい猫なのでしょう。

④ チェスはなんとおもしろいのでしょう。

⑤ 海はなんと大きいのでしょう。

⑥ 彼はなんと一生懸命勉強するのでしょう。

⑦ 彼女はなんと注意深く車を運転するのでしょう。

⑧ 昨日はなんと暑かったのでしょう。

⑨ あなたの息子さんはなんと大きくなったのでしょう。

⑩ それはなんとおもしろい物語だったのでしょう。

ワンポイントアドバイス
感嘆文

whatとhowの使い分けをしっかりマスターしてください。
whatの文では、「なんとかわいい（形容詞）猫（名詞）」のように、主語の前に、**what＋(a)＋形容詞＋名詞**がきます。

① How kind he is!

② What a great writer he is!

③ What a cute cat Tama is!

④ How interesting chess is!

⑤ How big the sea is!

⑥ How hard he studies!

⑦ How carefully she drives!

⑧ How hot it was yesterday!

⑨ How big your son became!

⑩ What an interesting story it was!

---

　how の文では、「なんとかわいい（形容詞）」のように、主語の前に **how** ＋形**容詞・副詞**がきます。
　　タマはなんとかわいい猫なんだろう！ → What a cute cat Tama is!
　　タマはなんとかわいいのだろう！　　 → How cute Tama is!

15 不定詞―名詞的用法

CD 1 TRACK 38

① 僕はいつかアメリカに行きたい。

② 僕の姉は去年イタリア語を勉強し始めた。

③ 私は来年インドに行くことを決めました。

④ あなたは何をしたいですか？

⑤ 彼は朝食を食べ始めた。

⑥ 彼女の趣味は花を育てることです。

⑦ 彼の夢は世界中を旅行することでした。

⑧ 英語を話すのは簡単ではありません。

⑨ ジャズを聞くのが私の趣味です。

⑩ あなたといるのはとても楽しいです。

ワンポイントアドバイス
15～18 不定詞

to＋動詞の原型で動詞に他の品詞の働きをさせます。
名詞的用法　「～すること」と動詞が名詞のように働きます。
　私はアメリカに行きたい（私は欲する　アメリカに行くことを）
　　→ I want to go to America.
　彼は彼女と結婚することを決断した。→ He decided to marry her.

① I want to go to America someday.

② My sister began to study Italian last year.

③ I decided to go to India next year.

④ What do you want to do?

⑤ He began to eat breakfast.

⑥ Her hobby is to grow flowers.

⑦ His dream was to travel around the world.

⑧ To speak English is not easy.

⑨ To listen to jazz is my hobby.

⑩ To be with you is a lot of fun.

　目的語の位置にくるパターンは使えるけれど、他のパターンがダメという人が多いようです。名詞的用法ですから、主語、補語のパターンも使えるようにしましょう。
　　主語パターン　英語を学ぶことは楽しい。→ To learn English is fun.
　　補語パターン　彼の趣味はクラシック音楽を聴くことです。
　　　　　　　　→ His hobby is to listen to classical music.

16 不定詞―副詞的用法（目的）

CD 1 TRACK 39

① 僕は本を何冊か借りに図書館に行った。

② 彼は美術を勉強するためにいつかフランスに行くだろう。

③ 僕の兄は毎週日曜日サーフィンを楽しみに海に行く。

④ 君はトムに会うためにここに来たのですか？

⑤ ロバートとナンシーは昨夜夕食をしにすてきなレストランに行った。

⑥ 僕の弟は新しい自転車を買うためにお金を貯めている。

⑦ 僕は宿題をするために明日の朝早く起きるつもりです。

⑧ 来年イギリスに行くために僕のいとこは一生懸命英語を勉強している。

⑨ 彼らは試験に受かるために毎日何時間も勉強しなければならない。

⑩ 彼女は明日おばあさんを訪問するために鎌倉に一人で行くだろう。

ワンポイントアドバイス
15～18 不定詞

副詞的用法 「目的」のパターンは苦にしないのに、「**感情の原因**」は使いこなせない人が多いようです。**17** で一項目さきましたのでしっかり練習してください。

① I went to the library to borrow some books.

② He will go to France to study art someday.

③ My brother goes to the sea to enjoy surfing every Sunday.

④ Did you come here to see Tom?

⑤ Robert and Nancy went to a nice restaurant to have dinner last night.

⑥ My brother is saving money to buy a new bicycle.

⑦ I am going to get up early tomorrow morning to do my homework.

⑧ My cousin is studying English hard to go to England next year.

⑨ They have to study for many hours every day to pass the exam.

⑩ She will go to Kamakura alone to visit her grandmother tomorrow.

形容詞的用法　to 不定詞が直前の名詞を修飾します。日本人学習者が最も苦手にする用法です。英語を母語とする人たちはこの用法を頻繁に使います。

17 不定詞―副詞的用法（感情の原因）

CD 2 TRACK 01

① あなたに会えてうれしいです。

② 彼にまた会えてうれしかった。

③ 彼女はあなたに再び会って喜ぶでしょう。

④ 遅れてすみません（遅れて残念です）。

⑤ その大きな建物を見て彼らは驚きました。

⑥ 彼の話を聴いて私たちはとても驚いた。

⑦ 私はその悪い知らせを聴いて残念だった。

⑧ あなたのご両親はあなたの手紙を受け取って喜ぶでしょう。

⑨ あなたは旧友に会えてうれしかったですか？

⑩ 彼らはその美しい湖で泳ぐことができてとても幸せだった。

① I am happy to meet you.

② I was happy to see him again.

③ She will be glad to see you again.

④ I am sorry to be late.

⑤ They were surprised to see the big building.

⑥ We were very surprised to hear his story.

⑦ I was sorry to hear the bad news.

⑧ Your parents will be pleased to receive your letter.

⑨ Were you happy to see your old friend?

⑩ They were very happy to swim in the beautiful lake.

18 不定詞―形容詞的用法

CD 2 TRACK 02

① 私には今日しなければならない（するべき）宿題があります。

② 彼女は彼に言いたいこと（言うための何か）があった。

③ あなたは読む本を（何冊か）持っていますか？

④ 彼は明日あなたに会う時間はないでしょう。

⑤ 彼は何か食べるものが欲しかったのですか？

⑥ 僕は今日何もすることがない。

⑦ 僕はあの店で弟にあげる物を何か買うつもりだ。

⑧ 彼は昨日することがたくさんあった。

⑨ 彼には住む家がない。

⑩ あなたは筆記用具（書くための何か）を持っていますか？

ワンポイントアドバイス

「今日はちょっとやらなければならない仕事があってね。」とか「手紙を1通書かなくちゃ」というような時、日本人学習者はたいてい、

I have to do some work today. I must write a letter.
といったパターンに偏るのに対し、英語を母語とする人たちは

① I have homework to do today.

② She had something to say to him.

③ Do you have any books to read?

④ He won't have any time to see you tomorrow.

⑤ Did he want something to eat?

⑥ I don't have anything to do today.

⑦ I am going to buy something to give to my brother at that store.

⑧ He had a lot of things to do yesterday.

⑨ He doesn't have a house to live in.

⑩ Do you have anything to write with?

　I have some work to do. I have a letter to write.
のように不定詞の形容詞的用法を使うことが多いものです。形容詞的用法を使いこなせるようになることは英語感覚を磨く一助になりますから、口をついて出てくるようになるまで練習することをお勧めします。

19 動名詞

CD 2 TRACK 03

① 彼女はピアノを弾くのが好きです。

② あなたは煙草を吸うのをやめますか。

③ あなたはいつ切手を集め始めたのですか？

④ 外国語を勉強するのは僕にとってとても楽しい。

⑤ 車を運転するのは時には退屈だ。

⑥ 彼女は英語を話すのが得意です。

⑦ 彼の趣味は珍しい蝶を集めることです。

⑧ 彼の仕事は外国人に日本語を教えることですか？

⑨ なぜ英語を学ぶことが大切なのですか？

⑩ あなたはどんな楽器を弾くのが好きですか？

ワンポイントアドバイス
19 動名詞

　動詞＋名詞で動名詞、言いえて妙、なかなか良いネーミングですね。動詞＋ing で名詞の働きをします。不定詞の名詞的用法と同様、主語、目的語、補語いずれのパターンも使いこなせるようにしてください。

① She likes playing the piano.

② Will you stop [give up] smoking?

③ When did you begin [start] collecting stamps?

④ Learning foreign languages is a lot of fun for me.

⑤ Driving a car is sometimes boring.

⑥ She is good at speaking English.

⑦ His hobby is collecting rare butterflies.

⑧ Is his job teaching Japanese to foreigners?

⑨ Why is learning English important?

⑩ What musical instrument do you like playing?

主語）海外旅行が彼の趣味です。→ Traveling abroad is his hobby.
目的語）彼は海外旅行が好きです。→ He likes traveling abroad.
補語）彼の趣味は海外旅行です。→ His hobby is traveling abroad.

20 原級比較

CD 2 TRACK 04

① この教会はあの教会と同じくらい古い。

② あの少年たちはこの少年たちと同じくらいの年齢ですか？

③ その猫は犬と同じくらい大きかった。

④ あの映画はこの映画と同じくらいおもしろい。

⑤ これらのみかんはあれらのみかんと同じくらい甘いですか？
（ここでは、みかんは orange で）

⑥ 彼女は母親と同じくらい美しくなりました。

⑦ この車は僕の車ほど速く走らない。

⑧ 君は彼女と同じくらい熱心に勉強しなければならない。

⑨ 彼は君ほど上手には英語を話せない。

⑩ 彼女は今朝お母さんと同じくらい早く起きた。

ワンポイントアドバイス
20〜27 比較

　as…as（同じくらい…）は as 二つの間に形容詞および副詞の原級が入ります。比較級ではありません。

① This church is as old as that church [one].

② Are those boys as old as these boys?

③ The cat was as big as a dog.

④ That movie is as interesting as this movie.

⑤ Are these oranges as sweet as those oranges [ones]?

⑥ She became as beautiful as her mother.

⑦ This car doesn't run as fast as my car [mine].

⑧ You have to [must] study as hard as she does.

⑨ He can't speak English as well as you do.

⑩ She got up as early as her mother this morning.

彼はお兄さんと同じくらいの背丈だ。→誤 He is as **taller** as his brother.
正 He is as **tall** as his brother.

21 比較級—er 形

CD 2 TRACK 05

① このりんごはあのりんごより大きい。

② トムは僕より背が高い。

③ あなたの車は彼女のより新しいですか？

④ 私たちは彼らよりずっと幸せでした。

⑤ 明日は今日よりずっと暑くなるでしょう。

⑥ 母は父より若く見えます。

⑦ 彼のかばんは僕のより重そうに見えた。

⑧ 誰がナンシーよりきれいですか？ — エミリーです。

⑨ あの絵はこの絵より良い。

⑩ エベレスト山は富士山よりずっと高い。

ワンポイントアドバイス
20～27 比較

　また、is を使う文では、is と as の音が似ているため、どちらかを抜かしてしまう間違いが起こりやすいので気をつけましょう。英文を書くと間違わない人でも、口頭の英作文では犯し易いミスです。

① This apple is bigger than that one.

② Tom is taller than me [I].

③ Is your car newer than hers?

④ We were much happier than they were.

⑤ It will be much hotter tomorrow than today.

⑥ My mother looks younger than my father.

⑦ His bag looked heavier than mine.

⑧ Who is prettier than Nancy? — Emily is.

⑨ That picture is better than this one.

⑩ Mt. Everest is much higher than Mt. Fuji.

ナンシーはエミリーと同じくらいきれいだ。
→誤　Nancy **is pretty as** Emily.
　誤　Nancy **as pretty as** Emily.
　正　Nancy **is as pretty as** Emily.

22 最上級—est 形

CD 2 TRACK 06

① ロバートは家族で一番背が高い。

② この猫が5匹の中で一番小さい。

③ 富士山は日本で一番高い山です。

④ あなたの家族の中で誰が一番若いですか？

⑤ 彼はクラスでもっとも頭のいい生徒です。

⑥ 日本で一番長い川は何ですか？

⑦ あの少女は町で一番きれいだ。

⑧ あの自転車は3台のうちで一番新しい。

⑨ これが全てのうちで一番いい方法です。

⑩ それら全てのうちで一番良い辞書はどれですか？

ワンポイントアドバイス
20～27 比較

「～よりも…だ」「一番～だ」という表現では、形容詞（副詞）の語尾が er, est になる語形変化をする場合と、変化せず more, the most が前につく場合の区別をしっかりマスターしてください。

① Robert is the tallest in his family.

② This cat is the smallest of the five.

③ Mt. Fuji is the highest mountain in Japan.

④ Who is the youngest in your family?

⑤ He is the smartest student in the class.

⑥ What is the longest river in Japan?

⑦ That girl is the prettiest in town.

⑧ That bicycle is the newest of the three.

⑨ This is the best way of all.

⑩ Which is the best dictionary of them all?

彼女はお姉さんよりきれいだ。 → She is **pretti**er than her sister.
この本はあの本より難しい。　→ This book is **more difficult** than that one.
彼はクラスで一番頭が良い。　→ He is **the smartest** in the class.
これがすべてのうちで一番重要だ。→ This is **the most important** of all.

23 比較級―more

CD 2 TRACK 07

① 英語はフランス語より役に立ちますか？

② これらの花はあれらの花より美しい。

③ トムはエドよりずっと頭が良い。

④ その本はこの本よりずっと難しかった。

⑤ 日本では野球はサッカーより人気がありますか？

⑥ 彼より彼のお父さんの方が有名だった。

⑦ 健康はお金より大切です。

⑧ あの映画はこの映画よりずっとおもしろいよ。

⑨ 彼の車は僕のより高い（高価）。

⑩ この町は君の町より危険だ。

ワンポイントアドバイス
20〜27 比較

which, who を使ったパターンも忘れずに練習しましょう。とくに「AとBではどちらがより…ですか？」というパターンをすっぽり忘れている人が多いです。
① Which (Who) is 比較級, A or B?
　例：この本とあの本ではどちらの方がおもしろいですか？
　　　→ Which is more interesting, this book or that one?

① Is English more useful than French?

② These flowers are more beautiful than those.

③ Tom is much more intelligent than Ed.

④ The book was much more difficult than this one.

⑤ Is baseball more popular than soccer in Japan?

⑥ His father was more famous than him [he].

⑦ Health is more important than money.

⑧ That movie is much more interesting than this one.

⑨ His car is more expensive than mine.

⑩ This town is more dangerous than your town.

---

②Which(Who)一般動詞　副詞の比較級, A or B?
　　例：健と恵美ではどちらが英語が上手ですか？
　　　　→ Who speaks English better, Ken or Emi?
の２つのパターンを練習します。

24 最上級―most

CD 2 TRACK 08

① すべてのうちで健康がもっとも大切です。

② これらの絵のうちでこれが一番美しい。

③ 彼は世界でもっとも有名な俳優の一人です。

④ 町で一番きれいな女の子は誰ですか？

⑤ 野球は日本で最も人気のあるスポーツの一つですか？

⑥ あなたのクラスでは誰が一番頭がいいですか？

⑦ この10台の車の中であの赤い車が一番高い。

⑧ 世界で一番難しい言語は何ですか？

⑨ 一番小さなりんごが一番おいしかった。

⑩ チェスは最もおもしろいゲームの一つです。

① Health is the most important of all.

② This is the most beautiful of these pictures.

③ He is one of the most famous actors in the world.

④ Who is the most beautiful girl in town?

⑤ Is baseball one of the most popular sports in Japan?

⑥ Who is the most intelligent in your class?

⑦ That red car is the most expensive of these ten cars.

⑧ What is the most difficult language in the world?

⑨ The smallest apple was the most delicious.

⑩ Chess is one of the most interesting games.

25 比較級―副詞

CD 2 TRACK 09

① 弟は僕より速く泳げます。

② 彼女は他の少女たちよりゆっくり歩きます。

③ 彼は僕より上手に英語を話すことができます。

④ トムは友人たちより早く駅に着いた。

⑤ あなたは彼より一生懸命勉強しますか？

⑥ 弟は僕より遅く家に帰ってきました。

⑦ 今朝僕はお母さんより早く起きました。

⑧ 彼は僕より注意深くその本を読みました。

⑨ 彼女はあなたより流暢(りゅうちょう)にフランス語を話しますか？

⑩ 兄は僕よりずっと長く勉強します。

① My brother can swim faster than me [I].

② She walks more slowly than other girls.

③ He can speak English better than me [I].

④ Tom got to [arrived at] the station earlier than his friends.

⑤ Do you study harder than he does?

⑥ My brother came (back) home later than I did.

⑦ I got up earlier than my mother this morning.

⑧ He read the book more carefully than I did.

⑨ Does she speak French more fluently than you do?

⑩ My brother studies much longer than I do.

26 最上級―副詞

CD 2 TRACK 10

① 家族の中では母が一番早起きです

② 僕のクラスでは彼が一番上手に英語が話せます。

③ エミリーは3人のうちで一番ゆっくり歩きました。

④ 彼は彼らみんなの中で一番流暢に日本語を話しました。

⑤ あなたのクラスでは誰が一番一生懸命勉強しますか？
― トムです。

⑥ 昨日姉は家族で一番遅く帰宅しました。

⑦ 彼らみんなのうちでエドが一番速く泳げるようになるでしょう。

⑧ あなたの家族では誰が一番長く眠りますか？
― 妹です。

⑨ あの子供たちの中でパットが一番注意深く先生の言うことを聴きました。

⑩ すべての動物の中でチーターが一番速く走ります。

① My mother gets up (the) earliest in my family.

② He can speak English (the) best in my class.

③ Emily walked (the) most slowly of the three.

④ He spoke Japanese (the) most fluently of them all.

⑤ Who studies (the) hardest in your class?
— Tom does.

⑥ My sister got (back) home (the) latest in my family yesterday.

⑦ Ed will be able to swim (the) fastest of them all.

⑧ Who sleeps (the) longest in your family?
— My sister does.

⑨ Pat listened to the teacher (the) most carefully of those children.

⑩ The cheetah runs (the) fastest of all animals.

27 比較級、最上級を使った疑問詞の文

CD 2 TRACK 11

① あなたとあなたのお父さんでは、どちらが背が高いですか？

② 彼の部屋と彼女のでは、どちらが大きいですか？

③ トムとロバートでは、昨夜どちらが遅く寝ましたか？

④ エミリーとナンシーでは、明日どちらが早く学校に来るでしょうか？

⑤ あなた方の学校と彼らの学校では、どちらが古いですか？

⑥ 猫と犬では、あなたはどちらの方が好きですか？

⑦ 数学と英語では、あなたはどちらの方が好きですか？
　— 数学の方が好きです。

⑧ あなたのクラスでは誰が一番背が高いですか？ — トムです。

⑨ あなたはどの科目が一番好きですか？
　— 歴史です。

⑩ あなたの家族で、今朝誰が一番早く起きましたか？
　— 父です。

① Who is taller, you or your father?

② Which is bigger, his room or hers [her room]?

③ Who went to bed later last night, Tom or Robert?

④ Who will come to school earlier tomorrow, Emily or Nancy?

⑤ Which is older, your school or theirs?

⑥ Which do you like better, cats or dogs?

⑦ Which do you like better, mathematics or English?
— I like mathematics better.

⑧ Who is the tallest in your class? — Tom is.

⑨ Which subject do you like (the) best?
— I like history (the) best.

⑩ Who got up (the) earliest in your family this morning?
— My father did.

28 現在完了─継続

CD 2 TRACK 12

① 私はこの町に10年住んでいます。

② 先週からずっと暑い。

③ あなたはどのくらいの間彼を知っているのですか？

④ 彼は両親に長い間手紙を書いていません。

⑤ 僕は月曜日からずっと彼に会っていない。

⑥ 彼女はそのかばんを3年使っている。

⑦ お父さんは先週からずっと忙しい。

⑧ ブラウン夫妻は1985年から日本に住んでいます。

⑨ ピーターは2時間自分の部屋にいる。

⑩ 私たちはこの列車に5時間乗っています。

ワンポイントアドバイス
28～31 現在完了

　過去から現在までの時間的ふくらみを持つ時制です。このような厳密には日本語にはない時制感覚を体得するのはなかなか難しいものですが、本書を使ったトレーニングでは、まず、

① I have lived in this town for ten years.

② It has been hot since last week.

③ How long have you known him?

④ He has not written to his parents for a long time.

⑤ I haven't seen him since Monday.

⑥ She has used the bag for three years.

⑦ My father has been busy since last week.

⑧ Mr. and Mrs. Brown have lived in Japan since 1985.

⑨ Peter has been in his room for two hours.

⑩ We have been on this train for five hours.

---

have (has) + 過去分詞
のパターンが肯定、疑問、否定の文で揺さぶられることなくとっさに口をついて出てくるようになるのを目標にしてください。

29 現在完了—完了

CD 2 TRACK 13

① 僕はちょうど昼食を食べたところです。

② あなたはもう宿題をしてしまいましたか？

③ トムが窓を割ってしまいました。

④ 彼女は財布をなくしてしまいました。

⑤ 彼らはもうそこに着きましたか？

⑥ 私たちはまだ彼からの手紙を受け取っていません。

⑦ その少年はアメリカに行ってしまいました。

⑧ トムとピーターはもう車を洗ってしまいました。

⑨ 誰がこの箱を開けてしまったのですか？ — 僕です。

⑩ 彼女たちはまだ夕食を食べていません。

① I have just had [eaten] lunch.

② Have you done your homework yet?

③ Tom has broken the window.

④ She has lost her wallet [purse].

⑤ Have they arrived [got] there yet?

⑥ We haven't received [got] a letter from him yet.

⑦ The boy has gone to America.

⑧ Tom and Peter have already washed the car.

⑨ Who has opened this box? — I have.

⑩ They haven't had [eaten] dinner yet.

30 現在完了―経験

CD 2 TRACK 14

① 僕は彼に一度会ったことがあります。

② 僕は以前にこの映画を見たことがあります。

③ あなたは今までにその国に行ったことがありますか？

④ 彼女は一度も外国に行ったことがありません。

⑤ 私たちは何度もこの本を読んだことがあります。

⑥ 君は今までにボウリングをしたことあるかい？
― いや、ないよ。

⑦ 彼は英語で外国人と話したことが一度もない。

⑧ あなたは外車を運転したことがありますか？

⑨ トムは3回、ヨーロッパに行ったことがある。

⑩ ヘンリーは以前に日本語を習ったことがありません。

① I have met him once.

② I have seen this movie before.

③ Have you ever been to that country?

④ She has never been abroad [to a foreign country].

⑤ We have read this book many times.

⑥ Have you ever tried bowling?
— No, I haven't.

⑦ He has never talked to a foreigner in English.

⑧ Have you ever driven a foreign car?

⑨ Tom has been to Europe three times.

⑩ Henry has never learned Japanese before.

31 現在完了進行形

CD 2 TRACK 15

① 私は2時間この本を読んでいます。

② 彼女は3時間以上ピアノを弾いています。

③ 君はどのくらいテレビを見ているんだい？

④ 彼らは長い間日本語を学んでいるのですか？

⑤ 今朝からずっと雨だ。

⑥ 科学者たちは何世紀もその難問を解こうとしている。

⑦ 彼は恋人を何時間も待っている。

⑧ 彼らは何カ月もアパートを探している。

⑨ ナンシーはここで10年働いています。

⑩ あの少年は1時間以上走っている。

① I have been reading this book for two hours.

② She has been playing the piano for more than three hours.

③ How long have you been watching TV?

④ Have they been learning Japanese for a long time?

⑤ It has been raining since this morning.

⑥ Scientists have been trying to solve the difficult problem for centuries.

⑦ He has been waiting for his girlfriend for hours.

⑧ They have been looking for an apartment for months.

⑨ Nancy has been working here for ten years.

⑩ That boy has been running for over an hour.

32 that 節

CD 2 TRACK 16

① 私は、彼女はアメリカに住んでいると思います。

② あなたは、彼が昨日ここに来たことを知っていますか？

③ 彼女は、彼がいつか帰って来ると信じています。

④ 私は、あなた方がまたいらっしゃってくれれば良いと思います。

⑤ 彼女は、弟はテレビを見ているのだと思った。

⑥ 僕たちは、その映画がおもしろいとは思わなかった。

⑦ 明日晴れればいいなあ。

⑧ 彼女は、その男の人は彼らの先生なのだと信じていた。

⑨ あなたはなぜ彼が外国に行くことを望むのですか？

⑩ 彼らは、自分たちが間違っていることを知らなかった。

ワンポイントアドバイス

that 節

一つの文の下に that に導かれるもう一つの文が現れる文。
例：俺は、あいつはいい奴だと思うよ（私は思う彼はいい男だと）。
　　→ I think (that) he is a nice guy.
　　明日いい天気だといいな（私は望む明日天気が良いことを）。
　　→ I hope (that) it will be fine tomorrow.

① I think that she lives in America.

② Do you know that he came here yesterday?

③ She believes that he will come back someday.

④ I hope that you will come again.

⑤ She thought that her brother was watching TV.

⑥ We did not think (that) the movie was interesting.

⑦ I hope (that) it will be fine tomorrow.

⑧ She believed (that) the man was their teacher.

⑨ Why do you hope (that) he will go abroad [to a foreign country]?

⑩ They did not know (that) they were wrong.

---

　that という蓋のついた箱の中に文が入っている感じです。that はしばしば省略されますが、その場合蓋が透明なガラスなわけですね。

　文が比較的長くなるので、書いてしまえば問題ない人も口頭ではしどろもどろになりがちです。さっと口から出てくるように練習しましょう。

33 受身—1

CD 2 TRACK 17

① エミリーはみんなに好かれています。

② この部屋は毎日使われますか？

③ この机は彼によって作られたのではありません。

④ 英語は多くの国で話されます。

⑤ この本は多くの人に読まれるでしょう。

⑥ その子は両親に愛されていました。

⑦ この人形は木製ですか（木でできているのですか）？
　── いいえ、違います。紙でできています。

⑧ チーズは牛乳で作られます。

⑨ 美しい歌がその少女たちによって歌われました。

⑩ この本は誰に書かれたのですか？

> **ワンポイントアドバイス**
> **33〜34 受身（受動態）**
>
> 「AはBを〜する」の能動態と表裏の関係にある「BはAに〜される」の形です。実際には非常によく使われるのに、さらっと公式的な勉強をしただけでないがしろにしている人が多い文型です。この世は「愛し愛され」「持ちつ持たれつ」です。能動態、受動態共に自在に使えるようにしましょう。

① Emily is liked by everybody [everyone].

② Is this room used every day?

③ This desk was not made by him.

④ English is spoken in many countries.

⑤ This book will be read by many people.

⑥ The child was loved by his [her] parents.

⑦ Is this doll made of wood?
— No, it isn't. It is made of paper.

⑧ Cheese is made from milk.

⑨ A beautiful song was sung by the girls.

⑩ Whom [Who] was this book written by?

34 受身—2

CD 2 TRACK 18

① あの男の人は子供たちに好かれていません。

② その星は日本で見られますか？

③ これは何でできているのですか？ ― 石でできています。

④ あなたはあの先生に叱られたことがありますか？（現在完了）

⑤ この話はみんなに知られています。

⑥ その言葉はどこで話されますか？

⑦ そのケーキはトムに食べられてしまいました。

⑧ あれらの車は、毎日は使われていません。

⑨ あなたはどこで生まれたのですか？ ― 日本で生まれました。

⑩ ワインは葡萄で作られます。

ワンポイントアドバイス
33～34 受身（受動態）

公式は、
　　be 動詞＋過去分詞＋by＋動作主体
ですが、なんでもかんでも by を使ってしまう間違いを犯しやすいものです。by の後にくるのはあくまで動作主体、次のような場合は by を使いません。

① That man is not liked by children.

② Is the star seen in Japan?

③ What is this made of? — It is made of stone.

④ Have you ever been scolded by that teacher?

⑤ This story is known to everyone [everybody].

⑥ Where is the language spoken?

⑦ The cake has been eaten by Tom.

⑧ Those cars are not used every day.

⑨ Where were you born? — I was born in Japan.

⑩ Wine is made from grapes.

英語は多くの国で使われる。→誤　English is used **by** many countries.
　　　　　　　　　　　　　正　English is used **in** many countries.
彼女はパーティーに招かれた。→誤　She was invited **by** the party.
　　　　　　　　　　　　　正　She was invited **to** the party.

Part 3
中学3年レベル

1 従属節を導く接続詞—1

CD 2TRACK 19

① もし明日晴れたら、僕たちはピクニックに行きます。

② もし彼が明日来なかったら、僕がその仕事をするよ。

③ 英語を覚えたいなら、君はもっと規則的に勉強しなければならない。

④ 病気だったので、彼女は欠席した。

⑤ 雨が降っていたので、彼は一日中家にいた。

⑥ とても疲れていたので、彼女は泳ぎに行かないことにした（決めた）。

⑦ あなたはテレビを見る前に宿題をしなければなりません。

⑧ あなたの弟は寝る前にいつも歯を磨きますか？

⑨ 夕食を食べたら皿を洗ってください。

⑩ 彼が車を洗った後に雨が降り始めた。

ワンポイントアドバイス
1〜2 接続詞

従属節を導く接続詞は、レベル2で when が登場しましたが、ここではさらに多くの接続詞を練習します。If, as, because, before, after, while, until,

① If it is fine tomorrow, we will go on a picnic.

② If he doesn't come tomorrow, I will do the work.

③ If you want to learn English, you have to study more regularly.

④ As she was sick, she was absent.

⑤ He stayed (at) home all day because it was raining [rainy].

⑥ As she was very tired, she decided not to go swimming.

⑦ You have to do your homework before you watch television.

⑧ Does your brother always brush his teeth before he goes to bed?

⑨ Please wash the dishes after you eat dinner.

⑩ It began to rain after he washed his car.

---

although (though) と盛りだくさんですので、2項にわたって練習します。
　条件 (もし〜なら) の if と時を表す after, before, until に導かれる副詞節では、未来のことでも will を使いませんので注意してください。

2 従属節を導く接続詞—2

CD 2 TRACK 20

① 僕が宿題をしている間、弟は漫画の本を読んでいた。

② 道を歩いていると（歩いている間）、彼は旧友に会った。

③ 僕たちが君を探している間、君はどこにいたんだい？

④ 彼はその国にいる間に多くのことを学んだ。

⑤ 彼が帰ってくるまでここで待っていよう。

⑥ 彼らはその試験に受かるまで懸命に勉強しなければならない。

⑦ 僕は両親が帰ってくるまで家にいなければならないんです。

⑧ その石はとても重かったけれど、彼はそれを持ち上げようとした。

⑨ とても疲れていたけれど彼女はピアノの練習をした。

⑩ とても遅かったけれど、彼女は出かけることにした（決めた）。

ワンポイントアドバイス
1〜2 接続詞

明日晴れたら、僕は釣りに行くよ。
→誤 If it **will** be fine tomorrow, I will go fishing.
　正 If it **is** fine tomorrow, I will go fishing.

① While I was doing my homework, my brother was reading a comic book.

② He met an old friend while he was walking on the street.

③ Where were you while we were looking for you?

④ He learned a lot of things while he was in the country.

⑤ Let's wait here until he comes back.

⑥ They have to study hard until they pass the examination.

⑦ I have to stay at home until my parents come back.

⑧ Although the stone was very heavy, he tried to lift it.

⑨ Though she was very tired, she practiced the piano.

⑩ Although it was very late, she decided to go out.

明日彼と話してから決定します。
→誤　I will decide after I **will** talk to him tomorrow.
　正　I will decide after I **talk** to him tomorrow.

3 間接疑問文

CD 2 TRACK 21

① 僕は彼が何歳なのか知らない。

② 君はあの女の人が誰か知ってる?

③ 彼女が今どこにいるのか教えてくれますか?

④ あの箱の中には何が入っているんだろう?(wonder 使用)

⑤ 彼らはその少年がどこで生まれたのか知りたがっている。

⑥ 君が何をしたいのか言ってくれよ。

⑦ 彼は彼女がなぜ泣き始めたのかわからなかった。

⑧ 彼らはどんな食べ物が好きなのかしら?(wonder 使用)

⑨ その外国人がどのくらい日本にいるか知っていますか?

⑩ 彼らはその言葉が何を意味するのか知ろうとした。

ワンポイントアドバイス
間接疑問文

疑問文が、別の文の中に含まれる文型です。この時、**疑問文の倒置が消え、平叙文の語順になる**点が特徴で、また間違えやすいところです。

① I don't know how old he is.

② Do you know who that woman is?

③ Will you please tell me where she is now?

④ I wonder what is in that box.

⑤ They want to know where the boy was born.

⑥ Please tell me what you want to do.

⑦ He did not know why she began to cry.

⑧ I wonder what food they like.

⑨ Do you know how long the foreigner has been in Japan?

⑩ They tried to understand what the word meant.

彼はどこで生まれましたか？→ Where was he born?
彼がどこで生まれたか知っていますか？→ Do you know where **he was born**?
彼女は何を勉強してるの？→ What does she study?
僕は彼女が何を勉強しているか知ってるよ。→ I know what **she studies**.

4 疑問詞＋to 不定詞

CD 2 TRACK 22

① 僕は何と言ったらいいのかわからなかった。

② 彼は英語の勉強の仕方を知りたがっている。

③ 彼らはどこに行ったら良いのかわかっていますか？

④ 僕は今何をするべきかわからない。

⑤ いつ出発したらいいか教えてください。

⑥ あなたはどちらの本を買うか決めなければならない。

⑦ 彼はその機械の使い方を学んでいる。

⑧ あなたのお母さんはあなたに料理の仕方を教えてくれますか？

⑨ どちらの本もおもしろそうなので、僕はどちらを買うべきかわからない。

⑩ その店で何を買ったらいいのか教えてくれるかい？

ワンポイントアドバイス

疑問詞＋to 不定詞

疑問詞＋不定詞で名詞の働きをするフレーズ（名詞句）となります。
　I didn't know her **address**. （私は**彼女の住所**を知らなかった。）
　　　　　　　　　　（名詞）
　I didn't know **what to do**. （私は**何をしたら良いのか**わからなかった。）
　　　　　　　　（名詞句）

① I didn't know what to say.

② He wants to know how to study English.

③ Do they know where to go?

④ I don't know what to do now.

⑤ Please tell me when to start [leave].

⑥ You must [have to] decide which book to buy.

⑦ He is learning how to use the machine.

⑧ Does your mother teach you how to cook?

⑨ As both books look interesting, I don't know which to buy.

⑩ Will you please tell me what to buy at the store?

---

what to〜, how to〜は使えても、where to〜, when to〜, which to〜など他の疑問詞のパターンが使いこなせない人が多いので、色々なパターンを練習しましょう。

5 形式主語の it

CD 2 TRACK 23

① 英語を学ぶことは大切です。

② 車を運転するのは簡単ですか？

③ 一年で外国語をマスターするのは不可能です。

④ 新しいことを学ぶことはおもしろいです。

⑤ なぜ多くの科目を勉強することが必要なのですか？

⑥ 人の名前を覚えるのは、私には難しいです。

⑦ 彼女には毎日ピアノを練習することが大切です。

⑧ あなたには切手を集めるのがおもしろいのですね。

⑨ 彼らには、英語を話すことがとても簡単です。

⑩ 彼には朝早く起きるのが難しいのです。

ワンポイントアドバイス
形式主語 it

文の主部が長めの to 不定詞の場合、頭でっかちになるのを嫌い、to 不定詞の代役として it を立てる（形式主語）パターンです。

（一年で英語をマスターするのは不可能だ。）

To master English in a year is impossible.
　↑頭でっかち

It is impossible to **master English in a year**.
　↑形式主語　　　　↑後ろに持ってくる真主語

① It is important to learn [study] English.

② Is it easy to drive a car?

③ It is impossible to master a foreign language in a year.

④ It is interesting to learn new things.

⑤ Why is it necessary to study many subjects?

⑥ It is difficult for me to remember people's names.

⑦ It is important for her to practice the piano every day.

⑧ It is interesting for you to collect stamps, isn't it?

⑨ It is very easy for them to speak English.

⑩ It is difficult for him to get up early in the morning.

---

to 不定詞の動作主体を言いたい時には to の前に for＋動作主を置きます。
　私にとってその本を読むのは難しい。
　→ It is difficult **for me** to read the book.

6 SVO＋to 不定詞

CD 2 TRACK 24

① 僕は君にそこに行って欲しい。

② 父は僕に毎日勉強しろと言います。

③ 彼はあなたに英語を教えてくれるよう頼みましたか？

④ 先生は生徒たちに宿題をやるように言った。

⑤ なぜ彼女は彼にすぐ来てくれと頼んだのですか？

⑥ 私はあなた方に幸せになって欲しいのです。

⑦ 彼女はあなたに彼女の息子さんに数学を教えてもらいたがっています。

⑧ 彼女は彼にその箱を開けないようにと言いました。

⑨ 私は彼らにその写真を見ないようにと頼んだ。

⑩ 俺はお前にその部屋に入るなと言ったよな。

ワンポイントアドバイス
SVO＋to 不定詞

文中の主語ではなく目的語が to 不定詞の動作主体になります。
　I want to go there.（私はそこに行きたい。）
では「そこに行く」という動作の主体は、主語 I ですが、SVO＋to 不定詞では、

① I want you to go there.

② My father tells me to study every day.

③ Did he ask you to teach him English?

④ The teacher told the students to do their homework.

⑤ Why did she ask him to come at once?

⑥ I want you to be happy.

⑦ She wants you to teach mathematics to her son.

⑧ She told him not to open the box.

⑨ I asked them not to look at the picture.

⑩ I told you not to go into [enter] the room, didn't I?

　I want you to go there.（私はあなたにそこに行って欲しい。）
「そこに行く」のは目的語の you です。
　このパターンを取れる動詞の数は非常に多く、一大グループを成しますが、本書では、want, tell, ask の3つの動詞で練習します。いったんパターンを体得してしまえば、このグループのどの動詞の使い回しも容易になります。

7 SVOC

CD 2 TRACK 25

① 私たちはその猫をミケと呼びます。

② 彼らは息子をジェームズと名づけました。

③ あなたたちは彼をリーダーにしたのですか？

④ 彼女はあなたを何と呼びますか？

⑤ あなたのプレゼントは彼女を喜ばせるでしょう。

⑥ なぜ彼は怒ったのですか（何が彼を怒らせたのですか）？

⑦ 彼女は自分の部屋をきれいにしておく。

⑧ なぜあなたは壁を黄色く塗ったのですか？

⑨ あなた方はこれを英語で何と呼びますか？

⑩ その知らせを聞いて僕たちはうれしかった（その知らせは僕たちを幸せにした）。

ワンポイントアドバイス

SVOC

目的語の後に目的語（O）とイコールで結ばれる補語（C）が続きます。
　They call the cat Mike.（彼らはその猫をミケと呼ぶ）
　She keeps her room tidy.（彼女は部屋を整頓しておく）

① We call the cat Mike.

② They named their son James.

③ Did you make him your leader?

④ What does she call you?

⑤ Your present will make her happy.

⑥ What made him angry?

⑦ She keeps her room clean.

⑧ Why did you paint the walls yellow?

⑨ What do you call this in English?

⑩ The news made us happy.

のような文ではそれぞれ、The cat is Mike. Her room is tidy. という文が隠れています。この文型を苦手にする人が多いのは、このような屈折感からでしょうか？しっかり練習してマスターしてください。

8 現在分詞修飾

CD 2 TRACK 26

① 眠っている（その）赤ちゃんはかわいい。

② ゆりかごの中で眠っている（その）赤ちゃんはかわいかった。

③ あなたはその走っている少年たちが見えますか？

④ 校庭を走っている少年たちは彼の生徒たちでした。

⑤ 英語を話しているその少女は誰ですか？

⑥ 彼には外国で暮らしているおばさんがいるのですか？

⑦ あなたは走っている馬を見たことがありますか？

⑧ 私は海を泳いでいるペンギンを一度も見たことがありません。

⑨ あなたはあの角に立っている男の人を知っていますか？

⑩ ピアノを弾いている女性は彼のお姉さんでした。

ワンポイントアドバイス
8～9 分詞による名詞の修飾

分詞が形容詞のように名詞を修飾します。分詞が単独で名詞を修飾する時は名詞の前に、他の語句を伴う時は名詞の後に置きます。
a tall boy （背の高い少年）
a running boy （走っている少年）
a boy running in the park （公園を走っている少年）

① The sleeping baby is cute.

② The baby sleeping in the cradle was cute.

③ Can you see the running boys?

④ The boys running in the school playground were his students.

⑤ Who is the girl speaking English?

⑥ Does he have an aunt living abroad [in a foreign country]?

⑦ Have you ever seen a running horse?

⑧ I have never seen a penguin swimming in the sea.

⑨ Do you know the man standing at that corner?

⑩ The woman playing the piano was his sister.

---

a big window (大きな窓)
a broken window (割れた窓)
a window broken by Tom (トムに割られた窓)

9 過去分詞修飾

CD 2 TRACK 27

① あの割れた窓を見なさい。

② トムに割られた窓は明日直されるでしょう。

③ 彼は中古車を買うつもりです。

④ これは有名な作家に使われた部屋です。

⑤ あなたは英語で書かれた本を読んだことがありますか？

⑥ 彼はドイツ製の車を買いたがっています。

⑦ これは多くの人に愛されている歌なのですか？

⑧ 英語は多くの人に話される言語です。

⑨ 僕にゆで卵をいくつかください。

⑩ 彼はお母さんが焼いた（お母さんに焼かれた）ケーキを美味しく食べた（楽しんだ）。

ワンポイントアドバイス
8〜9 分詞による名詞の修飾

　名詞と分詞の間に動詞を入れて、進行形や受動態の文にしてしまう間違いに注意しましょう。

① Look at that broken window.

② The window broken by Tom will be fixed tomorrow.

③ He is going to buy a used car.

④ This is a room used by a famous writer.

⑤ Have you ever read a book written in English?

⑥ He wants to buy a car made in Germany.

⑦ Is this a song loved by many people?

⑧ English is a language spoken by many people.

⑨ Give me some boiled eggs.

⑩ He enjoyed the cake baked by his mother.

公園を走っている少年は太郎です。
 →誤 The boy is running in the park is Taro.
  正 The boy running in the park is Taro.
トムが割った窓を見なさい。
 →誤 Look at the window **was** broken by Tom.
  正 Look at the window broken by Tom.

10 関係代名詞・主格（人）

CD 2 TRACK 28

① 彼には切手を集めるのが好きな友達がいます。

② 公園で走っている人たちが見えますか？

③ この学校には、外国で生まれた生徒がたくさんいます。

④ 動物が好きなその少女は獣医になりたがっている。

⑤ 君は昨日僕たちに話しかけた男の人を覚えているかい？

⑥ 毎晩夜更かしするその少年は、よく学校に遅刻する。

⑦ 彼女は、歴史を勉強している大学生ですか？

⑧ この本を書いた作家は誰ですか？

⑨ ピアノを弾いている女性はあなたのおばさんですか？

⑩ 一生懸命勉強しているその学生はじきに英語が話せるようになるでしょう。

ワンポイントアドバイス
10～15 関係代名詞

　関係代名詞に続く文が、名詞を修飾します。頭ではわかっているつもりでも、実際には使いこなせない例が多いものです。
　何でもかんでも関係代名詞節を文の最後に置く間違いが、もっとも初歩的な間違いでしょう。
　「英語を上手に話す少年はアメリカ生まれです」という問題を出すと、無造作に The boy was born in America who speaks English. のような英文を作る

① He has a friend who [that] likes collecting stamps.

② Can you see the people who [that] are running in the park?

③ In this school, there are many students who [that] were born abroad.

④ The girl who [that] likes animals wants to be a veterinarian [vet].

⑤ Do you remember the man who [that] spoke to us yesterday?

⑥ The boy who [that] stays up late every night is often late for school.

⑦ Is she a college student who [that] studies history?

⑧ Who is the writer who [that] wrote this book?

⑨ Is the woman who [that] is playing the piano your aunt?

⑩ The student who [that] is studying hard will soon be able to speak English.

人が非常に多いのです。
　I know a boy who speaks English well.
　He is a student who studies law.
このようなワンパターンで関係代名詞が文の終わりに来るような簡単な例文を、構造の理解をしようとせずぼんやりと眺めるような学習を続けてきたため、関係代名詞節の位置を単に視覚的に覚えてしまったのでしょう。

11 関係代名詞・主格（人以外）

CD 2 TRACK 29

① 彼はしっぽの短い猫を飼っている。

② これは3時に出発する電車ですか？

③ あれは僕の父に作られた机です。

④ その大工さんに建てられた家はとても丈夫です。

⑤ うちの庭にやってくる犬はいつもお腹をすかせている。

⑥ 駅のそばに建っている建物は何ですか？

⑦ 船のように見える雲が見えるかい？

⑧ その作家に書かれた（その）物語は多くの人に読まれるでしょう。

⑨ 先週開店したレストランに行こう。

⑩ 子供たちは花でおおわれた丘で遊んだ。

ワンポイントアドバイス
10～15 関係代名詞

関係代名詞節は修飾する名詞（先行詞）のすぐ後ろにきますから、
　　The boy who speaks English well was born in America.
となります。
　関係代名詞節が文の頭や中間にくるいろいろなパターンの例文で構造を理解してください。関係代名詞節の中で be 動詞が出てくる時これを落としてしまう間違いもよく見られます。

① He has a cat which [that] has a small tail.

② Is this a train which [that] leaves at three o'clock?

③ That is a desk which [that] was made by my father.

④ The house which [that] was built by the carpenter is very strong.

⑤ The dog which [that] comes to our garden is always hungry.

⑥ What is the building which [that] stands near the station?

⑦ Can you see the cloud which [that] looks like a ship?

⑧ The story which [that] was written by the writer will be read by many people.

⑨ Let's go to the restaurant which [that] opened last week.

⑩ The children played on the hill which [that] was covered with flowers.

公園で遊んでいる少年たちは私の生徒たちです。
　→誤　The boys **who playing** in the park are my students.
　　正　The boys **who are playing** in the park are my students.
昨日トムに割られた窓は明日直されるでしょう。
　→誤　The window **which broken** by Tom yesterday will be fixed tomorrow.
　　正　The window **which was broken** by Tom yesterday will be fixed tomorrow.

12 関係代名詞・所有格 whose と of which

CD 2 TRACK 30

① 彼にはお父さんがパイロットである友達がいます。

② 頂上が雪でおおわれている山が見えますか？

③ 髪が長いあの少女がナンシーです。

④ 趣味が車を運転することであるその女性は、よく海に車で行く。

⑤ お母さんが中国人のその少年は中国語を話せますか？

⑥ 自動車が故障してしまったその男性は、電車で仕事に行った。

⑦ 屋根が緑色のあの家を見てください。

⑧ 私は窓の大きな部屋で勉強したいの。

⑨ 僕は図書館で題名が興味深い本を見つけた。

⑩ あの庭の大きな家は僕のおばさんのです。

ワンポイントアドバイス
10〜15 関係代名詞

関係代名詞の whose の後に代名詞の所有格をダブらせないように気をつけましょう。
　僕にはお母さんが歌手である友達がいる。
　　→誤　I have a friend whose his mother is a singer.
　　　正　I have a friend whose mother is a singer.

① He has a friend whose father is a pilot.

② Can you see the mountain the top of which is covered with snow?

③ That girl whose hair is long is Nancy.

④ The woman whose hobby is driving (a car) often goes to the sea by car.

⑤ Can the boy whose mother is Chinese speak Chinese?

⑥ The man whose car broke down went to work by train.

⑦ Please look at that house the roof of which is green.

⑧ I want to study in a room the window of which is big.

⑨ At the library, I found a book the title of which was interesting.

⑩ That house the garden of which is big is my aunt's.

関係代名詞を使って所有関係を表したい時、人以外には of which を使うのが普通です。

Do you see the house? The roof of the house is green.
↓
Do you see the house the roof **of which** is green?

13 関係代名詞・目的格（人）

CD 2 TRACK 31

① あれが彼が尊敬している作家です。

② トムはエミリーが一番好きな男の子ですか？

③ 彼はナンシーが愛した男性ではありませんでした。

④ 僕らが昨日会った男性は有名なピアニストです。

⑤ あなたが教える生徒たちは頭が良いですか？

⑥ 私が手助けした老人は駅に行きたがっていました。

⑦ あれが、彼が会いたがっている女の子ですか？

⑧ あなたが招待した人たちはもう来ましたか？

⑨ 彼女は誰もが知っている歌手です。

⑩ 私の知っているあるアメリカ人はとても上手に日本語を話します。

① That is the writer (whom / that) he respects.

② Is Tom the boy (whom / that) Emily likes (the) best?

③ He wasn't the man (whom / that) Nancy loved.

④ The man (whom / that) we met yesterday is a famous pianist.

⑤ Are the students (whom / that) you teach smart [clever]?

⑥ The old man (whom / that) I helped wanted to go to the station.

⑦ Is that the girl (whom / that) he wants to meet?

⑧ Have the people (whom / that) you invited come yet?

⑨ She is a singer (whom / that) everybody knows.

⑩ An American (whom / that) I know speaks Japanese very well.

14 関係代名詞・目的格(人以外)

CD 2 TRACK 32

① あれは彼が描いた絵です。

② あなたは彼女が毎日歌う歌を知っていますか？

③ これらは私がとった写真ではありません。

④ 私が昨夜見た映画はとてもおもしろかった。

⑤ 昨日彼女が焼いたクッキー（複数）は美味しかった。

⑥ あの外国人が話している言葉はドイツ語ですか？

⑦ 彼が書いたその物語は多くの人に読まれるでしょう。

⑧ ピーターが先月買った中古車は新しく見えますか？

⑨ 彼が読みたがっている本は高いのですか？

⑩ 彼が5年間勉強している言語は何ですか？

ワンポイントアドバイス
10～15 関係代名詞

　目的格は語順の変化に戸惑う人が多いですね。通常の文の目的語が目的格の関係代名詞となり、先行詞の後にくるために前に上がってきます。

① That is a picture (which / that) he painted [drew].

② Do you know the song (which / that) she sings every day?

③ These are not the pictures (which / that) I took.

④ The movie (which / that) I saw last night was very interesting.

⑤ The cookies (which / that) she baked yesterday were delicious.

⑥ Is the language (which / that) that foreigner is speaking German?

⑦ The story (which / that) he wrote will be read by many people.

⑧ Does the used car (which / that) Peter bought last month look new?

⑨ Is the book (which / that) he wants to read expensive?

⑩ What is the language (which / that) he has been studying for five years?

彼は先月その車を買った。→ He bought the car last month.
彼が先月買った車はとても速い。
　→ The car (which/that) he bought last month is very fast.

15 先行詞を含む関係代名詞 what

CD 2 TRACK 33

① 私は彼の言ったことが理解できなかった。

② それが、あなたが望むことなのですか？

③ 彼について知っていることを教えてもらえる？

④ 彼はこういうふうに言ったのです（これが彼の言ったことです）。

⑤ 彼女がそこで見たのは驚くべきものだった。

⑥ 彼らがしたことは正しかった。

⑦ 我々が予期しないことが起こった。

⑧ 君がしなければならないのは毎日勉強することだ。

⑨ 君のご両親が君にして欲しいことはもっと頻繁に手紙を書くことだよ。

⑩ あの政治家は言行一致しない（言うこととやることが違う）。

ワンポイントアドバイス
10〜15 関係代名詞

　what は先行詞を含んだ関係詞です。理屈では理解していても、我々は英語を母語とする人がよく使う what を用いる表現が瞬間的にはなかなか発想できないものです。

　例えば「私はこう考えます」という日本文を日本人の学習者が英文にすると、

① I could not understand what he said.

② Is that what you want?

③ Will you please tell me what you know about him?

④ This is what he said.

⑤ What she saw there was surprising.

⑥ What they did was right.

⑦ What we didn't expect happened.

⑧ What you have to do is (to) study every day.

⑨ What your parents want you to do is (to) write to them more often.

⑩ What that politician says is different from what he does.

たいてい、I believe this. ですが、ネイティブ・スピーカーの口から出てくるのは、往々にして This is what I believe. のような文だったりします。日本語的思考では発想できない、いかにも英語らしい表現を作る単語やフレーズがあるものですが、what はそういうものの一つなのでよく練習して使いこなせるようにしましょう。

16　too～to…

CD 2 TRACK 34

① 彼女はあまりに疲れていて立ち上がることができない。

② 私は忙しすぎてあなたを手伝うことはできません。

③ 彼らの息子は一人で旅行するには幼すぎる。

④ その学生は眠すぎて勉強を続けることができなかった。

⑤ 彼はその仕事をするには年をとりすぎている。

⑥ このコーヒーは濃すぎて僕は飲めない。

⑦ 先生は速く話しすぎて、生徒たちは理解できなかった。

⑧ その本は難しすぎて彼らは読めないでしょう。

⑨ その文は長すぎて彼女は覚えられなかった。

⑩ この料理は辛すぎて私は食べられません。

ワンポイントアドバイス
too～to…

too～to…パターンの英文を「～すぎて…できない」と訳すことが多いので、否定形にとらわれ、so～that…パターンと混同したり英文としては成立しない強引な文を作る人が多いので気をつけてください。

① She is too tired to stand up.

② I am too busy to help you.

③ Their son is too young to travel alone.

④ The student was too sleepy to continue his study.

⑤ He is too old to do the work.

⑥ This coffee is too strong for me to drink.

⑦ The teacher spoke too fast for the students to understand.

⑧ The book will be too difficult for them to read.

⑨ The sentence was too long for her to remember.

⑩ This dish is too spicy for me to eat.

彼は疲れすぎていて起きていることができなかった。
 →誤 He was too tired that he couldn't keep awake.
  誤 He was too tired couldn't keep awake.
  正 He was too tired to keep awake.
正しい文はすっきりとした肯定文ですね。

17 enough～to…

① 君は両親から独立していい年だ。

② 彼は親切にも僕の宿題を手伝ってくれた。

③ トムとナンシーはまだ結婚できる年齢ではない。

④ 彼は働かないで暮らしていけるほど豊かだ。

⑤ この部屋は本を読むのに十分明るい。

⑥ 海水は十分に温かくて彼らは泳ぐことができた。

⑦ この家は10人の人が暮らせる大きさだ。

⑧ 彼はバスケットボールの選手になるのに十分な背丈になるでしょう。

⑨ その箱は（十分に）軽いので女性でも運べる。

⑩ この本は（十分に）やさしいので子供でも読める。

ワンポイントアドバイス

too～to…と反対の「十分に～で…できる」の意味の時は、～enough to…が使えます。enough は形容詞・副詞の後にくることに注意してください。

① You are old enough to be independent of your parents.

② He was kind enough to help me with my homework.

③ Tom and Nancy are not old enough to get married.

④ He is rich enough to live without working.

⑤ It is light enough in this room to read a book.

⑥ The water of the sea was warm enough for them to swim.

⑦ This house is big enough for ten people to live in.

⑧ He will be tall enough to be a basketball player.

⑨ The box is light enough for a woman to carry.

⑩ This book is easy enough for children to read.

彼は働かないで暮らせるほど豊かだ。
→誤　He is **enough rich** to live without working.
　正　He is **rich enough** to live without working.

18 so〜that…

CD 2 TRACK 36

① 彼はとても親切なので、みんな彼のことが好きだ。

② その俳優はとてもハンサムなので女性に非常に人気がある。

③ 昨日はとても寒かったので僕らは外出しなかった。

④ その映画はとてもおもしろくて僕は3回も見た。

⑤ この小説は長すぎて、最後まで読める人はほとんどいない。

⑥ その言語はすごく難しかったので私は習得を諦めた。

⑦ 彼女はとても興奮していたので眠ることができなかった。

⑧ 彼の話はとても退屈だったので、僕たちは皆眠ってしまった。

⑨ 彼女はとても忙しくて弟の宿題を手伝えなかった。

⑩ あの車はすごく高いので僕には買えない。

ワンポイントアドバイス

so〜that…

「とても〜なので…だ」という意味を作るパターン。that に続く文が肯定の場合は enough〜to…と、否定の時は too〜to…と言い換えられることが多いです。
　彼は働かないで暮らせるほど豊かだ。
　　→ He is so rich **that** he can live without working.
　　→ He is rich enough to live without working.

① He is so kind that everyone likes him.

② The actor is so good-looking that he is very popular among women.

③ It was so cold yesterday that we did not go out.

④ The movie was so interesting that I saw it three times.

⑤ This novel is so long that few people can read it till the end.

⑥ The language was so difficult that I gave up learning it.

⑦ She was so excited that she could not sleep.

⑧ His story was so boring that we all fell asleep.

⑨ She was so busy that she could not help her brother with his homework.

⑩ That car is so expensive that I can't buy it.

彼は疲れすぎていて起きていることができなかった。
  → He was so tired that he couldn't keep awake.
  → He was too tired to keep awake.

19 原形不定詞・知覚

CD 2 TRACK 37

① 私は彼女が何か言うのを聞きました。

② あなたは彼があの店に入るのをよく見かけますか？

③ 私は、彼らが教室を掃除するのを一度も見たことがない。

④ 生徒たちは先生が説明するのを注意深く聴いた。

⑤ その老婦人は僕がドアを開けるのを（じっと）見た。

⑥ あなたは家が揺れるのを感じましたか？

⑦ 私たちは彼女が見事にピアノを弾くのを聴いた。

⑧ 僕はあの飛行機が離陸するのを見たい。

⑨ 彼女は弟が部屋を出る（去る）のに気づいた。

⑩ 鳥たちが歌うのを聴いてごらん。

ワンポイントアドバイス
19〜20 原形不定詞

知覚 / 使役動詞＋目的語＋動詞の原形のパターンを用い、「〜が…するのを見る / 聞く / 感じる」などや「〜に…させる / してもらう」といったことを表現します。目的語の後に to を入れてしまい、**SVO＋to** 不定詞のパターンにしてしまう間違いに気をつけましょう。

① I heard her say something.

② Do you often see him go into the store?

③ I have never seen them clean the classroom.

④ The students listened carefully to the teacher explain.

⑤ The old woman watched me open the door.

⑥ Did you feel the house shake?

⑦ We listened to her play the piano beautifully.

⑧ I want to see the plane take off.

⑨ She noticed her brother leave the room.

⑩ Listen to the birds sing.

私は彼女が部屋に入るのを見た。 →誤　I saw her **to go** into the room.
　　　　　　　　　　　　　　　　　正　I saw her **go** into the room.
彼は息子に車を洗わせた。　→誤　He made his son **to wash** the car.
　　　　　　　　　　　　　正　He made his son **wash** the car.

20 原形不定詞・使役

CD 2 TRACK 38

① 彼の父は彼に毎日ドイツ語を勉強させた。

② 君は彼女に君の宿題をさせたのかい？

③ 君におもしろい写真を見せてあげよう。

④ 彼女はなぜ彼らに自分の部屋を使わせてあげたのですか？

⑤ 彼は秘書に手紙をタイプしてもらった（タイプさせた）。

⑥ 彼女はウェイターに水を一杯持ってきてもらった（持ってこさせた）。

⑦ 誰がピーターにそんなことをさせたんだ？

⑧ 彼は奥さんにコーヒーを入れてもらった（入れさせた）。

⑨ あなたは息子さんを一人で外国に行かせてあげるつもりですか？

⑩ 彼はその少年をそこで待たせた。

① His father made him study German every day.

② Did you make her do your homework?

③ I will let you look at an interesting picture.

④ Why did she let them use her room?

⑤ He had his secretary type the letter.

⑥ She had the waiter bring a glass of water.

⑦ Who made Peter do such a thing?

⑧ He had his wife make some coffee.

⑨ Are you going to let your son go abroad alone?

⑩ He made the boy wait there.

21 関係副詞・where

CD 2 TRACK 39

① あれは彼が生まれた村です。

② 僕たちが泳いだ湖はとても美しかった。

③ 彼らがよく野球をする公園は、この近くです。

④ これが、彼らが勉強する部屋なのですか？

⑤ 彼は雪がたくさん降る国で育った。

⑥ 僕らが先週行った動物園はとても大きかった。

⑦ 彼女がその本を買った書店はどこにあるのですか？

⑧ あれは彼が数学を教えている学校ですか？

⑨ ここが、私がその絵を描いた場所です。

⑩ 僕たちは何か食べるものを買える店に行きたい。

ワンポイントアドバイス
21〜22 関係副詞

　関係副詞を使って、「彼はその町に帰るでしょう」「彼はその町で生まれた」や「君はその日を覚えているかい？」「僕らはその日に初めて会った」などを一つの文にすることができます。場所を表す時は where を、時を表す時は when を用います。

　　He will go back to the town.
　　He was born in the town. →He will go back to the town **where** he was born.

　　Do you remember the day?
　　We first met on the day. → Do you remember the day **when** we first met?

① That is the village where he was born.

② The lake where we swam was very beautiful.

③ The park where they often play baseball is near here.

④ Is this the room where they study?

⑤ He grew up in a country where it snowed a lot.

⑥ The zoo where we went last week was very big.

⑦ Where is the bookstore where she bought the book?

⑧ Is that the school where he teaches mathematics?

⑨ This is the place where I painted the picture.

⑩ We want to go to a store where we can buy something to eat.

「場所」を表す名詞に対して何でもかんでも where を使ってしまう間違いに気をつける必要があります。

同じレストラン＝restaurant でも、

　Do you remember the restaurant **where** we had dinner the other day?
　（先日夕食を食べたレストランを覚えてるかい？）

は正しい文ですが、

　誤　That is the restaurant **where** she likes.
　　　（あれが、彼女が好きなレストランだよ。）

は間違いで、

　正　That is the restaurant（**which / that**）she likes

と関係代名詞を使います。

22 関係副詞・when

CD 2 TRACK 40

① 6月は雨がたくさん降る月です。

② 水曜日は彼女がピアノを練習する日です。

③ 彼がアメリカに行った年は1990年でした。

④ 僕は彼に初めてあった日を覚えている。

⑤ 彼が毎年外国に行く季節は何ですか？

⑥ 彼女は初めて車を運転した日を決して忘れないでしょう。

⑦ 4月は、日本で学校が始まる月です。

⑧ 彼がここにやってくる時間を教えてくれますか？

⑨ 彼のお父さんが釣りを楽しむ日は日曜日です。

⑩ 飛行機が到着する時間を知っていますか？

ワンポイントアドバイス
21～22 関係副詞

関係詞節を普通の文にすると、それぞれ
　　We had dinner at the restaurant the other day.
　　She likes the restaurant.
で、前の文では「レストラン」が「場」として使われ前置詞を伴っているのに対し、後の文では、like の直接目的語になっています。

① June is the month when it rains a lot.

② Wednesday is the day when she practices the piano.

③ The year when he went to America was 1990.

④ I remember the day when I first met him.

⑤ What is the season when he goes abroad every year?

⑥ She will never forget the day when she drove a car for the first time.

⑦ April is the month when schools begin in Japan.

⑧ Will you please tell me the time when he will come here?

⑨ The day when his father enjoys fishing is Sunday.

⑩ Do you know the time when the plane will arrive?

Do you remember the restaurant where we had dinner the other day?
は関係代名詞を使って言い換えると

Do you remember the restaurant **at which** we had dinner the other day?
となります。

このように、関係副詞は、前置詞＋関係代名詞の構造を内包しているのです。

私自身の瞬間英作文回路獲得体験

話せないフラストレーション

　私は、20歳過ぎに本格的に英語学習を始めました。音読を柱にして、ボキャビルによる語彙増強、ペーパーバック、英字新聞・雑誌の多読も行い、20代半ばまでには、かなりの基礎力がついていました。ペーパーバックはすでに150冊程度は読破し、定期購読していたニューズウィークも一週間で次の号が来る前にきっちり読み切ることができるようになっていました。ただ、著しく遅れている側面は英語を話すことでした。スピーキングと表裏の関係にあるリスニングではニュースやインタビューなどもかなり聴き取れるのに、話すこととなると、簡単な文でも、すらすらとは発することができませんでした。

　当時、小さな予備校で英語講師をしていた私は、仕事柄、基礎文型はもとより高度な大学受験レベルの英語構文も、知識としてはよく整理・理解ができていました。しかし、生徒たちには高度な文型をもっともらしい顔で講釈しながら、実用レベルでは、中学レベルの文型も満足に使いこなせない状態でした。なにかを英語で言おうとしても、もたもたと何段階かを経て頭の中で英作文をしないと英語のセンテンスが作れないのです。

　例えば、そこそこ日本語を話すアメリカ人に紹介された時のこと。ちょっと、相手を持ち上げようと、「日本語がお上手ですね。どのくらい、勉強されたのですか？」というようなことを言おうとします。You speak Japanese very well. くらいは何とか切り抜けますが、後半の文になるともういけません。「え〜と、どのくらいってのは、なんだっけ、あっ、そうだ、How long だ。で、次は you study だ。でも、おっと疑問文だから do you study に直さなきゃ。おっと過去形だから、do じゃなくて did にしなきゃ。いや、それとも現

在完了形かな?…」というように、頭の中で何度もパズルのピースを当てはめ直しながら英作文をする始末でした。

当時私は、英語を肉体化する方策としては、音読に活路を求め、これに1日数時間を充てていました。確かに音読の効果は多くの面ではっきりと表れていました。第一に、英語を直接受け入れる体質ができていました。英文を英語の語順で、日本語に翻訳することなしに理解できるようになり、多読の効果とあいまって、読みのスピードも格段に増していました。また、英会話の機会はほぼゼロで、学習においてのリスニング用テープなど音声素材の使用が比較的少なかったにもかかわらず、リスニング能力が向上したのも音読のおかげでした。

しかし、他の方面には大きな恩恵を与えてくれた音読トレーニングですが、ただ会話力としては実を結ぶことはなかったのです。見返りの多い音読トレーニングでしたから、英語を話す能力についても、少し遅れて効果が現れるのだろうと思っていましたが、いつまでたってもその気配はなく、やがて3年程が過ぎていました。

ボクシングコーチの英会話力にビックリ

　20代半ばに入った私は、読めて聴けるのに話せないという不全感を解消できないまま英語の学習を続けていました。そんなある日のことです。当時私は都内のキックボクシングジムに通っていました。そのジムは国際式ボクシングのジムに間借りしている形態で、ボクシング部門では二人のコーチが指導にあたっていました。一人はがっしりとした体格でベランメー口調の体育会系のはまり役でしたが、もう一人のコーチは少し風変わりでした。夕刻に頭髪を折り目正しく七三に分け、きちんとネクタイ・スーツ姿でジムに現れる彼は、体育会系コーチによくそのサラリーマン然としたスタイルに関して突っ込みを入れられ苦笑していました。しばらくして、彼が有名な国際通信社に勤務していることがわかりました。

　ある日、練習を終えてロッカーに行くと、外国人の練習生が着替えをしていて、私たちは軽く会釈を交わしました。一週間程前から、ジムに通っているスペイン人でした。そこへ件(くだん)の体育会系コーチが、使い終えた練習具を戻しに入ってきました。スペイン人練習生を見つけると、彼はブロークン英語と日本語のちゃんぽんで話し掛けました。通じているのかいないのかわからないやりとりがしばらく続いていると、もう一人のコーチが帰り支度のためにロッカーに入ってきました。すかさず、体育会系コーチが彼に通訳を頼んだのです。
「スペイン人の女の子紹介しろって言ってやってよ」

　にこりと微笑すると通信社勤務コーチがこう言ったのです。He says he wants you to introduce a Spanish girl to him. この、センテンスは鮮明に覚えています。その後も、彼は体育会系コーチとスペイン人練習生の通訳を務めてしばらく英語を話していました。それを何人かの練習生たちが眩しげに眺めている光景もよく記憶に

残っています。

　リスニング力をある程度備えていた私には、彼とスペイン人練習生との間で交わされる英語の会話は完璧に聴き取ることができました。しかし、私には彼のように自在に英語の文型を操り、会話のキャッチボールをすることは叶いませんでした。彼が最初に発した英文は、中学3年レベルのSVO＋to不定詞でしたが、このレベルでも私は即座に作り出すことができないのでした。

　数日後、練習の合間に英会話堪能コーチ氏と個人的に話す機会を得た私は、彼にどのように英語を身につけたのかを尋ねてみました。私は彼が留学のような海外生活経験を持っていることを予想していたのですが、海外経験は全くなく、社会人になってから、ある英語専門学校（通訳コースも持つ有名な学校でした）で学んだということでした。その学校では基本的に授業をすべて英語で行うダイレクトメソッドを採用していて、大学までボクシング一筋の生活だった彼は、一番下のクラスから始め、教室以外でも努力を重ね、2年で最上級クラスを終了したというのです。

　そんなことを詳しく尋ねる私に彼は逆質問をしてきたので、私は英語を学習していることを話しました。そして、読み・聴きはそこそこできるのだが、英語を話すことが全くできないのだと説明しました。彼は私にどんなものを読んでいるのか尋ねました。私がペーパーバックやニューズウィーク、タイムなどの雑誌を読んでいると答えると、彼は少し訝しげな表情をしました。そして、自分は英字新聞を読んでいると言い、タイム、ニューズウィークは少し難しすぎると言いました。コーチ氏には、簡単な文型も操れない私が、タイム、ニューズウィークなどを読めるということが疑わしく思えたのでしょう。

ボクシングコーチ氏との英語談義の後、私は自分の英語学習について分析の光をあててみました。勇気づけられる部分もありました。パッシブな側面では、私のレベルは悪くないということがわかったからです。コーチ氏には納得がいかないようでしたが、私がタイム、ニューズウィークを読めるということは事実でした。控えめに言っても、「読み」の点では、彼と私の間に全く差がないということです。リスニングの点でも、彼とスペイン人の英語による会話は、日本語の会話に耳を傾けているかのように楽に聴き取ることができました。

　唯一の、そして、大きな違いは、彼は英語を自由に操ることができ、私にはそれができないということでした。私がやるべきことは、この空隙を埋めることだということがよくわかりました。問題はその方法を見つけることでした。

　彼が通ったという英語学校で学ぶことも検討しました。しかし、調べてみるとその学費はかなりの額で、当時の私が捻出できるものではありませんでした。それならば、英語を話すことを目的とするサークルに参加するというのはどうか？それは、あまり食指の伸びる選択ではありませんでした。元来、私は人と集うことは得意ではありません。加えて、当時の私は奇妙な野心を持っていました。海外で暮らしたり、学校に通うことなしに英語を覚えるということです。一つの自然言語を、たった一人で、教材の学習だけで身につけるという、いわば試験管の中で人工的に生命を培養することに似た行為を実現することでした。

　ヒントがないわけではありませんでした。しばらく前から、簡単な英文を機械的に無数に作ることが、英文を作る反射神経を養うのに効果的だろうと考えていたのです。つまり、瞬間英作文トレーニングです。留学や英語学校に通うなどの日常的に英語を話す環境が

なければ、このトレーニングによって、それを人工的に作り出すのです。ただ、頭では十分すぎるぐらいにわかっている中学生レベルの英文に取り組むことはいかにも単調に思え、敬遠していたのです。しかし、この時、他の面では順調に機能している英語学習の唯一の欠落点をこのトレーニングが埋めてくれると感じたのです。本棚の片隅に捨て置いていた本の真価がわかり、埃を払って新たな思いでページをめくるように、このトレーニングに取り組むことにしました。

瞬間英作文トレーニングの驚くべき効果

　実際に作業を始めてみると予想外のことがいくつかありました。まず、簡単な英文を数多く作ることは、思っていた程退屈な作業ではありませんでした。逆にゲームのような面白さを感じました。また、無味乾燥な暗記作業ではないかという不安も、喜ばしい方向で裏切られました。

　英文を口に唱えるといっても、何も見ずに諳（そら）んじるのではなく、呼び水として日本語の文があります。「これは本です」というような日本文を、This is a book. に変換する作業に、記憶力を使う必要はありません。

　短文を暗唱することは、歴史の年号を覚えるような純粋な暗記作業とは異なり、すでに熟知している法則を実際に使うことで、むしろ簡単な計算問題をやることに似ていました。ただ、答として出てきた英文を数回繰り返すということが加わるだけです。

しかし、トレーニングを始めた当初は、自分の力不足を痛感しました。「これは本です」という文を疑問文にしただけで、Is this is a book? と is を2回使ってしまったり、「彼は早起きですか？」に三単現のルールを忘れ、Do he get up early? と言ってしまうなど、文法を知っていることと、使いこなせることは全く違うのだということを痛感させられました。

　とはいえ、トレーニングを続けるにつれ、こうしたミスも急速に減っていきました。また、初めは、正しい英文を作ろうとすると、頭の中で文法ルールをまさぐりながら文を組み立てるような、いかにも人工的な作業でしたが、ほどなく反射的に英文が口から出るようになっていきました。確かに、文法を知っていることと、実際に使えることは別物なのですが、よくわかってさえいれば、使えるようにすることはさしたる労力も時間もかからないことも事実でした。

　中1レベルの文型に熟達すると、私は順調に中学2年、3年とレベルを上げていきました。こうして、文型別に中学レベル全体を終えると、今度はこのレベルの仕上げとして、英文が機械的に文型別に並んでいない素材を使用することにしました。現在、私が第2ステージと呼んでいる段階で行う文型シャッフルのトレーニングです。

　最初に使用した素材は数年前音読トレーニングをスタートした時に使った中学英語の教科書ガイドです。今度は英文を読むのではなく、日本語訳から元の英文を再生していくのです。テキストの内容は対話や物語の体裁になっていますから、同じ文型だけが並んでいるということがありませんので、文型シャッフルがされています。中学全学年分のガイドの英文再生をすらすらと言えるようになるのにそれほどの日数はかかりませんでしたが、その過程で自分の文型操作能力に応用性がついてくるのが実感できました。

手持ちの教科書ガイドを仕上げてしまった後、私は他の出版社の教科書ガイドで同じトレーニングを行おうと思っていたのですが、これがなかなか高額なのです。よりコスト・パフォーマンスの良い教材を求めた私は書店の学習参考書のコーナーで素晴らしい素材を見つけました。それは、高校入試用の英語長文問題集でした。わずか 200〜300 円程度の価格でさまざまな出版社がこの種の本を出していました。

　瞬間英作文に使用するわけですから、英文の日本語訳を行うのではありません。逆に解答欄についている全文和訳から元の英文を再生していくのです。当時私はすでに読むことに関してはかなりの英語力を持っていましたから、高校入試程度の長文を読むことは造作もないことでした。しかし、和文から元の英語を作り出すのはちょうど良い負荷を与えてくれるトレーニングでした。

　教科書ガイドよりはるかに複雑な文を口頭で作り出すのは、なかなか歯ごたえのあるトレーニングでしたが、サイクル回しをしながら仕上げて行くにつれ、私の英作文能力はスピードを増し、応用力もめきめきとついていきました。高校入試問題用長文問題集を 3〜4 冊仕上げた後は、このレベルの英文だと初見でもすらすらと英文が口をついて出てくるようになっていたのです。つまり第 2 ステージが完成したわけです。

　ボクシングコーチ氏の英語力に刺激を受け、食わず嫌いで敬遠していた瞬間英作文に着手してから半年足らずの期間でした。結局、大きな効果を生む方法というのは、何気なくそばにあるものです。それが広く知られていないのは、多くの人は、その方法の変哲のなさゆえに見過ごしてしまい実行しなかったり、効果の出るのに必要な期間継続しないからなのです。私はこの事実を半年程度の瞬間英作文トレーニングで痛感したものです。

中学英語文型をマスターして瞬間英作文トレーニングの第2ステージを完成した私は、トレーニングを第3ステージに進めました。具体的には、中学英語の枠を取り払い、高校（＝大学受験）英語の構文や、さまざまな表現を取り込んでいくことです。

　まず、高校英語構文についてですが、実にたやすくマスターできました。意識的に取り組むことなしに、自然に身についてしまったのです。予備校での授業の準備のため講師控え室で構文集をぱらぱらとめくっているうちに、ほどなくすべての構文が自由に使えるようになっていました。実は大学受験期にも構文集の暗記に挑戦したことがありましたが、意気込みとはうらはらにうまくいかず投げ出してしまいました。それがなぜ今度はさしたる努力もせず習得できてしまったのでしょうか？

　答えは中学文型のマスターです。どの構文を見ても、その構造が実によく飲み込めるのです。中学文型が感覚的に身についた後では、複雑とされる構文も実は基本構文を組み合わせたり、ちょっとした上乗せをしているにすぎないことが、手品の仕掛けを舞台裏から眺めているように透けて見えるのです。

　新しい表現に関しても例文集や表現集からラクラクと吸収していくことができました。英作文回路が完成していて英文を諳んじることがたやすいので、ターゲットとなる表現に注意の焦点をあてやすく、またその表現だけを自前の文に差し込んで応用練習することも自在です。

　もちろん英語の表現は際限なくあり、すべて習得することはできませんから、第3ステージの表現の拡大はゴールがありません。けれど、外国語として英語を使っていくために最低限必要な表現は有限の期間で身につけられます。

瞬間英作文のトレーニングを積んだおかげで、その後英語圏で急に生活することになった時も、英語を話すことにあまり苦労はしませんでした。その核となったのはわずか数カ月で完成した基本文型による英作文能力です。

著者略歴

森沢洋介(もりさわようすけ)

1958年神戸生まれ。9歳から30歳まで横浜に暮らす。青山学院大学フランス文学科中退。大学入学後、独自のメソッドで、日本を出ることなく英語を覚える。予備校講師などを経て、1989〜1992年アイルランドのダブリンで旅行業に従事。TOEICスコアは985点。
学習法指導を主眼とする六ツ野英語教室を主宰。
ホームページアドレス　http://mutuno.sakura.ne.jp/

[著書] 英語上達完全マップ
　　　CD BOOK スラスラ話すための瞬間英作文シャッフルトレーニング
　　　CD BOOK ポンポン話すための瞬間英作文パターン・プラクティス
　　　CD BOOK バンバン話すための瞬間英作文「基本動詞」トレーニング
　　　[音声DL付] 英語構文を使いこなす瞬間英作文トレーニング マスタークラス
　　　[音声DL付改訂版] みるみる英語力がアップする音読パッケージトレーニング 初級レベル
　　　[音声DL & CD] NEW ぐんぐん英語力がアップする音読パッケージトレーニング 中級レベル
　　　　　　　　　　　　　　　　　　　　　　　　　　　　　　　(以上ベレ出版)

CDの内容
◎ DISC1　71分15秒　　DISC2　73分25秒
◎ ナレーション　Helen Morrison・久末絹代
◎ DISC1とDISC2はビニールケースの中に重なって入っています。

CD BOOK どんどん話(はな)すための瞬間英作文(しゅんかんえいさくぶん)トレーニング

2006年10月25日　初版発行	
2025年10月19日　第75刷発行	
著者	森沢洋介(もりさわようすけ)
カバーデザイン	OAK 小野光一
イラスト・図表	森沢弥生

© Yosuke Morisawa 2006. Printed in Japan

発行者	内田真介
発行・発売	ベレ出版 〒162-0832 東京都新宿区岩戸町12レベッカビル TEL 03-5225-4790　FAX 03-5225-4795 ホームページ https://www.beret.co.jp/
印刷	三松堂株式会社
製本	根本製本株式会社

落丁本・乱丁本は小社編集部あてにお送りください。送料小社負担にてお取り替えします。本書の無断複写は著作権法上での例外を除き禁じられています。購入者以外の第三者による本書のいかなる電子複製も一切認められておりません。

ISBN978-4-86064-134-4 C2082　　　　　　　　　　編集担当　綿引ゆか

六ツ野英語教室

本書の著者が主宰する学習法指導を主体にする教室です。

🐱 電話
0475-77-7123

🐱 ホームページアドレス
http://mutuno.sakura.ne.jp/

🐱 コース案内

レギュラークラス…週一回の授業をベースに長期的な学習プランで着実に実力をつけます。

トレーニング法セミナー…本書で紹介した「瞬間英作文トレーニング」の他、「音読パッケージ」、「ボキャビル」などトレーニング法のセミナーを定期開催します。

＊〈レギュラークラス〉〈トレーニング法セミナー〉ともにオンラインで提供中です。